Petits Classiques

LAROUSSE

Collection fondée par Félix Guirand,
Agrégé des Lettres

Le Dernier Jour d'un condamné

Victor Hugo

Roman

D0813103

Édition prés...
annotée et commentée
par Alexandre GEFEN,
agrégé de lettres modernes,
docteur de l'université Paris-IV Sorbonne

© Éditions Larousse 2006
ISBN 978-2-03-586788-9

SOMMAIRE

Avant d'aborder l'œuvre

Le Dernier Jour d'un condamné
VICTOR HUGO

Pour approfondir

AVANT D'ABORDER
L'ŒUVRE

Fiche d'identité de l'auteur

Victor Hugo

Nom :
Victor Marie Hugo.

Naissance :
26 février 1802
à Besançon
(Franche-Comté).

Famille :
père : le colonel
Léopold Hugo, militaire
de carrière. Mère :
Sophie Trébuchet,
issue de la bourgeoisie
royaliste vendéenne.
Deux frères : Abel,
né en 1798, et Eugène,
né en 1800.

Formation : séjour au collège des Nobles à Madrid
en 1811. De retour à Paris, scolarité à la pension
Cordier et cours au lycée Louis-le-Grand. Plusieurs
récompenses scolaires, dont un prix d'encouragement
de l'Académie française.

Début de carrière : *Irtamène*, tragédie composée
à quatorze ans. *Le Conservateur littéraire*, revue
politique lancée en 1819 avec ses frères. *Bug-Jargal*
(1820), roman historique consacré à la révolte
des esclaves noirs de Saint-Domingue en 1791.

Premiers succès : prix de l'académie de Jeux floraux
de Toulouse en 1820 pour une ode royaliste, recueils
de poésie de jeunesse récompensés par le roi.

Évolution de la carrière littéraire : drames
historiques novateurs *(Cromwell, Hernani)* : Hugo
devient le chef de file du romantisme. Romans
populaires à succès : *Notre-Dame de Paris*,
Les Misérables, Quatrevingt-treize. Nombreux
recueils de poésie *(Les Contemplations, La Légende
des siècles)* dans des registres variés, de l'épopée
à la méditation mystique. Parallèlement, fort
engagement politique en faveur de grandes causes
(défense des pauvres, lutte contre la peine de mort,
valeurs républicaines) qui font de l'écrivain
un personnage public essentiel de son siècle.

Mort : 22 mai 1885 à Paris. Funérailles nationales
et inhumation au Panthéon.

Victor Hugo et ses œuvres.
Gravure parue dans « Le Journal illustré » du 31 mai 1885.
Gravure d'après Henri Meyer et Félix Nadar.

Repères chronologiques

Vie et œuvre de Victor Hugo	Événements politiques et culturels
1802 **Naissance à Besançon.** **1809** Installation à Paris avec sa mère. **1812** Le général Lahorie, son parrain, est exécuté. **1815** **Premier cahier de vers.** **1819** *Inès de Castro* (mélodrame). **1822** Mariage avec Adèle Foucher. **1823** *Han d'Islande* (roman). **1828** Il assiste au ferrage des forçats à Bicêtre. Mort de son père. **1829** *Les Orientales* (poésie). ***Le Dernier Jour d'un condamné***, publié sans nom d'auteur. **1830** **Bataille d'*Hernani* (théâtre).** **1831** *Notre-Dame de Paris* (roman historique). **1833** Hugo devient l'amant de l'actrice Juliette Drouet. **1834** *Littérature et philosophie mêlées* (essai). *Claude Gueux* (roman). **1838** *Ruy Blas* (théâtre). **1841** Élection à l'Académie française.	**1802** Chateaubriand, *Génie du christianisme.* **1809** Lamarck, *Philosophie zoologique.* **1812** Retraite de Russie. **1815** Seconde Restauration. **1819** Walter Scott, *Ivanhoé.* **1822** Exécution des quatre sergents de La Rochelle. **1828** Vidocq, *Mémoires.* **1830** Révolution des Trois Glorieuses. Liberté de la presse. **1831** Delacroix, *La Liberté guidant le peuple.* **1833** Loi Guizot sur l'enseignement primaire. **1834** Mouvements insurrectionnels à Lyon et à Paris. Restrictions sur la liberté de la presse. **1838** Dickens, *Oliver Twist.* **1848** Révolution de février. IIe République. **1851** Coup d'État de Louis Napoléon Bonaparte.

Repères chronologiques

Vie et œuvre de Victor Hugo	Événements politiques et culturels
1843 *Les Burgraves* (théâtre). Noyade de sa fille Léopoldine.	**1857** Flaubert, *Madame Bovary*. Baudelaire, *Les Fleurs du mal*.
1848 Devant l'Assemblée constituante, Hugo demande l'abolition de la peine de mort.	**1859** Millet, *L'Angélus*.
1851 **Début de la période d'exil.**	**1864** Loi sur le droit de grève.
1852 Victor Hugo s'installe à Jersey. *Napoléon le Petit*, pamphlet.	**1866** Bataille de Sadowa.
1853 *Les Châtiments* (poésie).	**1869** Tolstoï, *Guerre et paix*. Canal de Suez.
1856 *Les Contemplations* (poésie).	**1870** IIIᵉ République proclamée. Guerre contre la Prusse. Commune de Paris écrasée.
1859 *La Légende des siècles* (poésie).	
1862 **Grand succès des *Misérables*.**	**1874** Loi interdisant le travail au moins de douze ans. Première exposition des « impressionnistes ».
1866 *Les Travailleurs de la mer* (roman).	
1869 *L'Homme qui rit* (roman). Mort de sa fille Adèle.	**1876** Invention du téléphone.
1870 Retour à Paris durant la Commune.	**1877** Invention du phonogramme.
1874 *Quatrevingt-treize* (roman).	**1878** Exposition universelle à Paris.
1876 Hugo élu sénateur de Paris.	**1885** Jules Grévy est réélu président de la République.
1877 *L'Art d'être grand-père* (essai).	
1885 **Mort de Victor Hugo.**	

Fiche d'identité de l'œuvre

Le Dernier Jour d'un condamné

Genre : roman.

Auteur : Victor Hugo, XIXᵉ siècle.

Registres : tragique, comique, dramatique, polémique.

Objets d'étude :
le narratif ;
l'argumentation :
convaincre,
persuader, délibérer ;
le roman ;
le romantisme.

Structure : quarante-neuf brefs chapitres suivis du fac-similé d'une chanson de bagnard. L'édition définitive du roman comporte une longue préface argumentative contre la peine de mort et une comédie satirique en une scène intitulée *Une comédie à propos d'une tragédie*.

Forme : récit de fiction à la première personne.

Sujet : un condamné à mort médite sur sa vie et son sort durant ses dernières semaines. Le lecteur l'accompagne dans ses rêves et ses souvenirs, dans ses peurs et ses derniers espoirs. Il partage avec lui toutes les étapes qui mènent à la guillotine : emprisonnement, transfert à Paris, rencontre avec un prêtre, visite de sa fille, ultime nuit et ultime toilette, jusqu'au départ pour l'échafaud.

Lectures de l'œuvre : Victor Hugo reviendra sur le sujet en 1834 dans un autre bref roman, *Claude Gueux*, et évoquera également le thème de la prison dans *Les Misérables*. L'œuvre est restée célèbre pour le rôle considérable qu'elle a joué dans l'histoire du combat contre la peine de mort.
On retrouvera dans *L'Étranger* d'Albert Camus (1942) à la fois le thème et la technique narrative du roman d'Hugo (récit à la première personne).

Une cellule ordinaire à la prison des Mazas à Paris, fin XIXe.

L'œuvre dans son siècle

Victor Hugo dans les années 1820 : un jeune écrivain à succès

À LA PARUTION EN 1829 du *Dernier Jour d'un condamné*, Victor Hugo est un auteur célèbre : ses poésies de jeunesse ont reçu la reconnaissance officielle du roi, et il a obtenu en 1825 la Légion d'honneur. Surtout, ses premières œuvres ont fait de lui le chef de file du romantisme naissant. Du côté du roman, il a renouvelé le genre du roman d'aventures avec *Han d'Islande* (1823), inspiré de Walter Scott. Du côté de la poésie, le recueil des *Orientales* (1829) a fait résonner un lyrisme tout à fait original par son mélange d'exotisme oriental et de mélancolie. Du côté du théâtre, la Préface de *Cromwell* (1827), sa pièce historique, est apparue comme un véritable manifeste du drame romantique, c'est-à-dire à la fois l'œuvre fondatrice et la théorie de ce mouvement littéraire.

UN CERCLE D'AMIS ARTISTES comme Delacroix, Nerval, Théophile Gautier ou encore Balzac se rassemble peu à peu autour d'Hugo : le « Cénacle » (qui deviendra à partir de 1827 le « Nouveau Cénacle »). Se réunissant régulièrement dans l'appartement de l'écrivain, rue Notre-Dame-des-Champs, la jeune génération romantique partage ses idéaux esthétiques : le goût des passions violentes et extrêmes, l'intérêt pour les tourments et les rêves qui font la vie intérieure des êtres, la volonté de renouveler la littérature en rompant avec la tradition littéraire pour peindre la complexité de l'âme humaine et de l'histoire, la défense de la liberté absolue du créateur et l'exaltation du génie. Elle prendra son parti lors de la « bataille d'*Hernani* » (1830) en s'opposant aux conservateurs, tenants des thèmes et des règles théâtrales classiques, qui attaquèrent l'auteur avec une extrême violence à l'occasion de la première représentation de la pièce.

L'œuvre dans son siècle

Les révolutions esthétiques du roman et leurs racines théâtrales

Dans une large mesure, *Le Dernier Jour d'un condamné* reprend les choix littéraires des premières œuvres théâtrales d'Hugo, choix qui ont paru révolutionnaires à son époque. On retrouve des obsessions communes comme la question du châtiment et de la mort, qui affleurent par exemple dans *Marion de Lorme*, pièce de théâtre dont la rédaction est contemporaine de celle du roman (dans *Han d'Islande*, l'écrivain avait déjà fait l'étonnement de ses lecteurs par la noirceur de ton de son récit). Comme les pièces d'Hugo, *Le Dernier Jour d'un condamné* manifeste aussi une extraordinaire audace dans le choix des situations (nul n'avait jamais osé avant lui imaginer les pensées d'un homme sur le point d'être exécuté), dans la forme romanesque (il n'existe aucun exemple de roman fait de très courts paragraphes avant celui-ci) et dans la mise en scène (la brutale interruption du récit au moment du départ du prisonnier et, surtout, l'absence totale d'information permettant de comprendre l'histoire du personnage principal ont stupéfié les premiers lecteurs).

En s'inspirant de l'œuvre de Shakespeare, qu'Hugo oppose à la tradition classique française, la Préface de *Cromwell* défend l'alliance de deux registres auparavant opposés : le sublime et le grotesque. Cette alliance conduit au mélange des genres de la comédie et de la tragédie – mélange que l'on retrouve dans *Le Dernier Jour d'un condamné* : on y voit alterner des épisodes comiques (la rencontre avec le « friauche », chapitre XXIII) et mélodramatiques (la dernière visite de la fille du condamné, chapitre XLIII). Enfin, la Préface de *Cromwell* plaide en faveur du réalisme historique, c'est-à-dire d'un témoignage de la vérité d'une époque ou d'un milieu, sans peur d'étonner voire de choquer son spectateur ou son lecteur.

L'œuvre dans son siècle

LA PRÉFACE AJOUTÉE EN 1829, *Une comédie à propos d'une tragédie,* est une véritable «signature» (Myriam Roman) de l'école romantique. Le travail sur le jargon des prisonniers, la volonté de retranscrire au présent et à la première personne du singulier, sans effets de style, la parole orale d'un prisonnier, ou encore la peinture sans voile des dures réalités du bagne répondent à son programme de refus des conventions esthétiques et à son intérêt – nouveau – pour les réalités, parfois terribles, de l'histoire et de la société.

La *préface du* Dernier Jour d'un condamné et *l'évolution politique de Hugo*

JUSQUE DANS LES ANNÉES 1825-1830, Victor Hugo est proche du pouvoir royal, au point d'avoir fondé dans sa jeunesse une revue intitulée *Le Conservateur littéraire* et d'avoir été invité en 1825 au sacre de Charles X à Reims. Mais il s'en écarte peu à peu en se rapprochant de son père, général d'Empire et défenseur de Napoléon Ier, et en fréquentant le sculpteur républicain David d'Angers. En 1828, il se proclame «socialiste» en découvrant les injustices sociales de la Restauration. Néanmoins, il conservera une attitude ambiguë à l'égard de la monarchie jusqu'à son exil en 1851, et ne refusera jamais les honneurs officiels.

PARU ANONYMEMENT EN 1829, *Le Dernier Jour d'un condamné* constitue ainsi une première prise de distance à l'égard du pouvoir royal, puisque les milieux conservateurs sont à l'époque d'ardents défenseurs de la peine de mort et de la sévérité des peines. L'anonymat ne trompe personne, mais ce n'est qu'en 1832, après la chute de Charles X, que Victor Hugo rééditera le roman en le signant de son nom. Il y ajoute alors une préface qui évoque directement la question de la peine de mort comme un débat d'actualité.

L'œuvre dans son siècle

DANS CETTE PRÉFACE, Victor Hugo insiste sur la dimension politique du problème. Au nom de l'héritage des penseurs libéraux des Lumières, il s'oppose aux partisans d'une peine de mort qui serait l'image de la justice divine. Il se fait en outre l'interprète du peuple à un moment d'incertitude politique, prenant implicitement position en faveur d'une monarchie constitutionnelle tout en dénonçant les injustices sociales et l'exploitation des enfants, qui conduisent au crime. Ce thème sera essentiel dans l'œuvre ultérieure de l'écrivain : par exemple, il emploie ici pour la première fois le terme de « misérables ».

Le monde criminel et carcéral : un sujet alors en vogue

SI VICTOR HUGO est le premier écrivain à donner toute sa dimension spirituelle et politique à la peine de mort envisagée depuis le point de vue d'un individu particulier, il s'inscrit dans une époque fascinée par le monde de la prison et le personnage du criminel. En effet, les évolutions qui ont bouleversé la structure de la société française depuis la Révolution ont conduit à l'émergence de « classes dangereuses », autrement dit de marginaux qui font peur à la société bourgeoise de la Restauration. Dans la littérature populaire, les *Mémoires* de Vidocq, voleur évadé du bagne et devenu policier, sont un véritable *best-seller* dont l'écrivain s'inspirera, comme de nombreux autres romanciers, dans *Les Misérables*. Dans les journaux, la question du crime et de son châtiment constitue le sujet de nombreux reportages et de débats entre les « philanthropes », qui veulent adoucir les conditions de détention, et ceux qui défendent, au contraire, le caractère exemplaire des peines, la nécessité de surveiller les milieux populaires et de punir de manière spectaculaire les coupables.

CE CONTEXTE fait du *Dernier Jour d'un condamné* un document en même temps qu'une pierre ajoutée à la construction du

L'œuvre dans son siècle

mythe littéraire du criminel, conçu à la fois comme la victime de la société et celui qui la remet en cause. Hugo analyse ainsi avec beaucoup de finesse la manière dont la pauvreté conduit à la délinquance, et la prison au désespoir et à la folie. Il dénonce les condamnations expéditives des procureurs généraux et la fausse compassion des prêtres à travers des tableaux précis – un travail de documentation rigoureux nourrit sa peinture du terrible pittoresque des prisons et de l'exécution. Mais il reprend aussi des éléments fantastiques traditionnellement attachés à l'univers carcéral : les serrures et les portes, les menottes et les fers, les cellules et l'échafaud hantent les cauchemars du narrateur en une véritable fantasmagorie. Pour la génération de la Restauration, qui se souvient des exécutions de la Terreur, comme pour Victor Hugo, qui a sans doute en mémoire l'arrestation et l'exécution politique de son parrain, le général Lahorie, le crime est ainsi un objet tant de méditation que de fascination.

La peine capitale, une question d'actualité

Au cœur des débats des années 1830 se trouve la question centrale de la peine de mort, qui était une pratique courante dans toute l'Europe depuis le Moyen Âge, pour des crimes « capitaux » comme le meurtre, ou pour des motifs religieux. La volonté « abolitionniste » qui émerge alors trouve sa source dans les réflexions des philosophes des Lumières au XVIIIᵉ siècle (en particulier celles de Montesquieu), auxquels Hugo rend d'ailleurs hommage dans sa préface. En 1791, le Code pénal français ordonne ainsi la suppression de la torture, mais maintient la peine de mort par décapitation (auparavant, les condamnés ordinaires étaient pendus). Durant la Révolution française, la guillotine est l'instrument avec lequel le roi Louis XVI et de nombreux nobles de l'Ancien Régime sont exécutés, mais elle sert aussi durant la Terreur (1793) à des condamnations politiques de révolutionnaires. La peine de mort est aussi couramment appliquée pendant la Restauration, par exemple

L'œuvre dans son siècle

pour l'exécution des quatre sergents de La Rochelle, dont le destin est évoqué au chapitre XI du roman.

L'EXÉCUTION est précédée, à cette époque, de l'« exposition » du condamné, transporté en charrette, le jeudi à quatre heures, du Palais de Justice à la place de Grève. En 1824 sont néanmoins introduites les « circonstances atténuantes », et les avocats des inculpés essayent alors d'obtenir la condamnation au bagne à perpétuité au lieu de la mort (c'est ce que fait l'avocat du narrateur du roman au chapitre II). De nombreuses voix commencent alors à émerger, avec celle d'Hugo, pour demander l'abolition de ce châtiment ou, du moins, sa limitation aux crimes les plus graves, en excluant les délits religieux et politiques. Ainsi, Guizot publie en 1822 un essai intitulé *De la peine de mort en matière politique* ; en 1828, un juriste progressiste, Charles Lucas, demande un débat de la Chambre sur le sujet, et, en 1830, Lamartine compose une ode intitulée *Contre la peine de mort*. La condamnation à mort pour motifs politiques sera finalement abolie au début de la révolution de 1848.

Lire l'œuvre aujourd'hui

La peine de mort :
un débat encore brûlant

Malgré l'abolition de la peine de mort en France en 1981 par Robert Badinter après l'élection de François Mitterrand à la présidence de la République, le réquisitoire abolitionniste d'Hugo conserve son actualité. En effet, si l'ensemble des pays de l'Union européenne ont pris le même chemin que la France, à la Commission des droits de l'homme des Nations unies, une soixantaine de pays s'opposent encore aujourd'hui avec virulence à toute résolution qui interdirait le recours à la peine de mort à l'échelle mondiale. Trente-huit États américains pratiquent encore la peine capitale (en général sous la forme, présentée comme moins barbare, d'une injection indolore de poison), plusieurs centaines de condamnés étant exécutés chaque année. Tous les ans, le rapport de l'organisation Amnesty International fait la liste des avancées (ou parfois des reculs) en direction de la disparition finale et universelle de la peine de mort.

Plus généralement, la dénonciation hugolienne des lacunes de la justice et des procès expéditifs, comme son analyse des conditions de vie des prisonniers et des conséquences psychologiques de l'enfermement, n'a rien perdu de son actualité. La lutte pour le droit à un procès équitable et à des conditions de détention décentes s'oppose à la tentation, qui persiste dans les sociétés démocratiques modernes, d'emprisonner à perpétuité les criminels les plus dangereux ou d'oublier que tout séjour en prison est destiné à permettre une future réinsertion. Le bagne et la guillotine ont disparu, mais la surpopulation carcérale et les suicides de condamnés les ont remplacés. Nombreux sont donc les écrivains et autres artistes qui doivent encore aujourd'hui prendre la relève de Victor Hugo.

Lire l'œuvre aujourd'hui

Un modèle original de roman engagé

Lire aujourd'hui *Le Dernier Jour d'un condamné*, c'est aussi découvrir un exemple exceptionnellement fort de littérature engagée, c'est-à-dire d'une littérature prenant à bras le corps les débats politiques et sociaux de son temps. Parce qu'il est avant tout romancier, Hugo préfère à un essai sur la peine de mort ou à un traité de philosophie politique la mise en scène concrète du problème et laisse au lecteur tout le travail de conclusion, même si la préface de 1832 – où l'auteur prend lui-même la parole – explicite clairement sa position.

La modernité de ce roman est alors d'essayer d'approcher au plus près de cette expérience indicible qu'est la confrontation d'un homme avec la mort. Pour cela, Hugo choisit la sobriété réaliste plutôt que l'emphase et l'hyperbole, la brutalité de l'argot des prisonniers plutôt que l'héroïsme romanesque, le document plutôt que les arguments théoriques. Il a ainsi le génie de préférer, à un reportage général sur les conditions d'incarcération et d'exécution à son époque, ou à l'analyse d'un cas célèbre, le récit à la première personne du cheminement tragique du condamné. D'abord, parce que notre méconnaissance des raisons qui ont conduit le narrateur en prison nous permet de concentrer notre attention sur l'expérience même de l'emprisonnement et de l'imminence de l'exécution. Ensuite, et surtout, parce que l'écrivain nous projette à l'intérieur d'un corps et d'une âme, en décrivant non seulement les idées qui traversent l'esprit du narrateur, mais aussi ses impressions physiques, ses souvenirs, ses cauchemars. Le rythme de plus en plus rapide des chapitres entraîne également le lecteur à ressentir, avec le narrateur, l'accélération du temps jusqu'au départ vers l'échafaud. Grâce à la fiction, qui nous permet de nous identifier au narrateur, nous vivons la tragédie de l'intérieur et en percevons toute la portée existentielle.

Projet de Frontispice pour l'édition Renduel
du *Dernier Jour d'un condamné.* Gravure de Célestin Nanteuil, xıxᵉ.

Le Dernier Jour d'un condamné

Victor **Hugo**

Roman (1829)

L'ŒUVRE

Préface de 1832

Il n'y avait en tête des premières éditions de cet ouvrage, publié d'abord sans nom d'auteur, que les quelques lignes qu'on va lire :

« Il y a deux manières de se rendre compte de l'existence de ce livre. Ou il y a eu, en effet, une liasse de papiers jaunes et inégaux sur lesquels on a trouvé, enregistrées une à une, les dernières pensées d'un misérable ; ou il s'est rencontré un homme, un rêveur occupé à observer la nature au profit de l'art, un philosophe, un poète, que sais-je ? dont cette idée a été la fantaisie, qui l'a prise ou plutôt s'est laissé prendre par elle, et n'a pu s'en débarrasser qu'en la jetant dans un livre.

De ces deux explications, le lecteur choisira celle qu'il voudra. »

Comme on le voit, à l'époque où ce livre fut publié[1], l'auteur ne jugea pas à propos de dire dès lors toute sa pensée. Il aima mieux attendre qu'elle fût comprise et voir si elle le serait. Elle l'a été. L'auteur aujourd'hui peut démasquer l'idée politique, l'idée sociale, qu'il avait voulu populariser sous cette innocente et candide forme littéraire. Il déclare donc, ou plutôt il avoue hautement que *Le Dernier Jour d'un condamné* n'est autre chose qu'un plaidoyer, direct ou indirect, comme on voudra, pour l'abolition de la peine de mort. Ce qu'il a eu dessein de faire, ce qu'il voudrait que la postérité vît dans son œuvre, si jamais elle s'occupe de si peu, ce n'est pas la défense spéciale, et toujours facile, et toujours transitoire, de tel ou tel criminel choisi, de tel ou tel accusé d'élection ; c'est la

---

1. **À l'époque [...] publié :** en février 1829.

plaidoirie générale et permanente pour tous les accusés présents et à venir ; c'est le grand point de droit de l'humanité allégué et plaidé à toute voix devant la société, qui est la grande cour de cassation [1] ; c'est cette suprême fin de non-recevoir [2], *abhorrescere a sanguine* [3], construite à tout jamais en avant de tous les procès criminels ; c'est la sombre et fatale question qui palpite obscurément au fond de toutes les causes capitales sous les triples épaisseurs de pathos dont l'enveloppe la rhétorique sanglante des gens du roi ; c'est la question de vie et de mort, dis-je, déshabillée, dénudée, dépouillée des entortillages sonores du parquet, brutalement mise au jour, et posée où il faut qu'on la voie, où il faut qu'elle soit, où elle est réellement, dans son vrai milieu, dans son milieu horrible, non au tribunal, mais à l'échafaud, non chez le juge, mais chez le bourreau.

Voilà ce qu'il a voulu faire. Si l'avenir lui décernait un jour la gloire de l'avoir fait, ce qu'il n'ose espérer, il ne voudrait pas d'autre couronne.

Il le déclare donc, et il le répète, il occupe, au nom de tous les accusés possibles, innocents ou coupables, devant toutes les cours, tous les prétoires [4], tous les jurys, toutes les justices. Ce livre est adressé à quiconque juge. Et pour que le plaidoyer soit aussi vaste que la cause, il a dû, et c'est pour cela que *Le Dernier Jour d'un condamné* est ainsi fait, élaguer [5] de toutes parts dans son sujet le contingent [6], l'accident, le particulier, le spécial, le relatif, le modifiable, l'épisode, l'anecdote, l'événement, le nom propre, et se borner (si c'est là se borner) à plaider la cause d'un condamné quelconque, exécuté un jour quelconque, pour

---

1. **Cour de cassation :** tribunal de dernier recours.
2. **Fin de non-recevoir :** refus définitif.
3. ***Abhorrescere a sanguine :*** « avoir horreur du sang ».
4. **Prétoire :** salle d'audience du tribunal.
5. **Élaguer :** simplifier en enlevant les éléments non nécessaires.
6. **Contingent :** qui peut se produire ou non.

un crime quelconque. Heureux si, sans autre outil que sa
60 pensée, il a fouillé assez avant pour faire saigner un cœur
sous l'*œs triplex*[1] du magistrat ! Heureux s'il a rendu
pitoyables ceux qui se croient justes ! Heureux si, à force
de creuser dans le juge, il a réussi quelquefois à y retrouver un homme !

65 Il y a trois ans, quand ce livre parut, quelques personnes
imaginèrent que cela valait la peine d'en contester l'idée à
l'auteur. Les uns supposèrent un livre anglais[2], les autres
un livre américain. Singulière manie de chercher à mille
lieues les origines des choses, et de faire couler des sources
70 du Nil le ruisseau qui lave votre rue ! Hélas ! Il n'y a en
ceci ni livre anglais, ni livre américain, ni livre chinois.
L'auteur a pris l'idée du *Dernier Jour d'un condamné*, non
dans un livre, il n'a pas l'habitude d'aller chercher ses
idées si loin, mais là où vous pouviez tous la prendre, où
75 vous l'aviez prise peut-être (car qui n'a fait ou rêvé dans
son esprit *Le Dernier Jour d'un condamné* ?), tout bonne-
ment sur la place publique, sur la place de Grève[3]. C'est là
qu'un jour en passant il a ramassé cette idée fatale,
gisante dans une mare de sang sous les rouges moignons[4]
80 de la guillotine.

Depuis, chaque fois qu'au gré des funèbres jeudis[5] de la
cour de cassation, il arrivait un de ces jours où le cri
d'un arrêt de mort se fait dans Paris, chaque fois que
l'auteur entendait passer sous ses fenêtres ces hurlements
85 enroués qui ameutent des spectateurs pour la Grève,

---

1. ***Œs triplex*** : la triple armure.
2. On accusa Victor Hugo de s'être inspiré de plusieurs témoignages de
condamnés, dont le journal de Viterbi, publié dans la *Revue britannique* en 1826.
3. **Place de Grève** : place située devant l'Hôtel de ville de Paris, où les
condamnés à mort étaient exécutés.
4. **Moignon** : ce qui reste d'un membre amputé.
5. **Funèbres jeudis** : C'est le jeudi que se réunissait la Cour de justice
pour prendre ses décisions.

chaque fois, la douloureuse idée lui revenait, s'emparait de lui, lui emplissait la tête de gendarmes, de bourreaux et de foule, lui expliquait heure par heure les dernières souffrances du misérable agonisant, – en ce moment on le confesse, en ce moment on lui coupe les cheveux, en ce moment on lui lie les mains, – le sommait, lui pauvre poète, de dire tout cela à la société, qui fait ses affaires pendant que cette chose monstrueuse s'accomplit, le pressait, le poussait, le secouait, lui arrachait ses vers de l'esprit, s'il était en train d'en faire, et les tuait à peine ébauchés, barrait tous ses travaux, se mettait en travers de tout, l'investissait, l'obsédait, l'assiégeait. C'était un supplice, un supplice qui commençait avec le jour, et qui durait, comme celui du misérable qu'on torturait au même moment, jusqu'à *quatre heures*. Alors seulement, une fois le *ponens caput expiravit*[1] crié par la voix sinistre de l'horloge, l'auteur respirait et retrouvait quelque liberté d'esprit. Un jour enfin, c'était, à ce qu'il croit, le lendemain de l'exécution d'Ulbach[2], il se mit à écrire ce livre. Depuis lors il a été soulagé. Quand un de ces crimes publics, qu'on nomme exécutions judiciaires, a été commis, sa conscience lui a dit qu'il n'en était plus solidaire ; et il n'a plus senti à son front cette goutte de sang qui rejaillit de la Grève sur la tête de tous les membres de la communauté sociale.

Toutefois, cela ne suffit pas. Se laver les mains est bien, empêcher le sang de couler serait mieux.

Aussi ne connaîtrait-il pas de but plus élevé, plus saint, plus auguste[3] que celui-là : concourir à l'abolition de la peine de mort. Aussi est-ce du fond du cœur qu'il adhère

---

1. ***Ponens caput expiravit*** : « posant la tête [Jésus] expira » : citation des Évangiles qui assimile la mort du condamné à celle du Christ.
2. **Ulbach** : meurtrier condamné à mort et exécuté le 10 septembre 1827. Hugo a peut-être assisté aux préparatifs de son exécution, un an (et non un jour) avant la rédaction de son roman.
3. **Auguste** : digne et vénérable.

aux vœux et aux efforts des hommes généreux de toutes les nations qui travaillent depuis plusieurs années à jeter bas l'arbre patibulaire[1], le seul arbre que les révolutions ne déracinent pas. C'est avec joie qu'il vient à son tour, lui chétif, donner son coup de cognée[2], et élargir de son mieux l'entaille que Beccaria[3] a faite, il y a soixante-six ans, au vieux gibet dressé depuis tant de siècles sur la chrétienté.

Nous venons de dire que l'échafaud est le seul édifice que les révolutions ne démolissent pas. Il est rare, en effet, que les révolutions soient sobres de sang humain, et, venues qu'elles sont pour émonder, pour ébrancher, pour étêter[4] la société, la peine de mort est une des serpes dont elles se dessaisissent le plus malaisément.

Nous l'avouerons cependant, si jamais révolution nous parut digne et capable d'abolir la peine de mort, c'est la révolution de Juillet[5]. Il semble, en effet, qu'il appartenait au mouvement populaire le plus clément des temps modernes de raturer la pénalité barbare de Louis XI[6], de Richelieu[7] et de Robespierre[8], et d'inscrire au front de la loi l'inviolabilité de la vie humaine. 1830 méritait de briser le couperet de 93[9].

---

1. **Arbre patibulaire :** le gibet et, par extension, la guillotine.
2. **Cognée :** hache.
3. **Beccaria :** Italien du XVIIIᵉ siècle (1736-1794), dont la proposition de réforme de la justice a été admirée par les philosophes des Lumières.
4. **Étêter :** couper la tête (d'un arbre, d'une branche, etc).
5. **Révolution de Juillet :** révolution de juillet 1830, qui conduisit à la monarchie de Juillet et au règne de Louis-Philippe.
6. **Louis XI :** roi de France de 1461 à 1483, réputé pour sa cruauté.
7. **Richelieu :** ministre de Louis XIII qui œuvra à l'instauration d'une monarchie absolue.
8. **Robespierre :** député jacobin durant la Révolution française, qui fut à l'origine de la Terreur.
9. **93 :** 1793, année de la Terreur, qui fit l'objet du dernier roman historique d'Hugo, *Quatrevingt-treize* (publié en 1874).

Nous l'avons espéré un moment. En août 1830, il y avait tant de générosité et de pitié dans l'air, un tel esprit de douceur et de civilisation flottait dans les masses, on se sentait le cœur si bien épanoui par l'approche d'un bel avenir, qu'il nous sembla que la peine de mort était abolie de droit, d'emblée, d'un consentement tacite et unanime, comme le reste des choses mauvaises qui nous avaient gênés. Le peuple venait de faire un feu de joie des gue-nilles[1] de l'ancien régime[2]. Celle-là était la guenille san-glante. Nous la crûmes dans le tas. Nous la crûmes brûlée comme les autres. Et pendant quelques semaines, confiant et crédule, nous eûmes foi pour l'avenir à l'inviolabilité de la vie comme à l'inviolabilité de la liberté.

Et en effet deux mois s'étaient à peine écoulés qu'une tentative fut faite pour résoudre en réalité légale l'utopie sublime de César Bonesana[3].

Malheureusement, cette tentative fut gauche, maladroite, presque hypocrite, et faite dans un autre intérêt que l'intérêt général.

Au mois d'octobre 1830, on se le rappelle, quelques jours après avoir écarté par l'ordre du jour la proposition d'ensevelir Napoléon sous la colonne[4], la Chambre[5] tout entière se mit à pleurer et à bramer[6]. La question de la peine de mort fut mise sur le tapis, nous allons dire quelques lignes plus bas à quelle occasion ; et alors il sembla que toutes ces entrailles de législateurs étaient pri-ses d'une subite et merveilleuse miséricorde. Ce fut à qui parlerait, à qui gémirait, à qui lèverait les mains au ciel. La peine de mort, grand Dieu ! Quelle horreur ! Tel vieux

---

1. **Guenille :** chiffon.
2. **Ancien Régime :** époque de la monarchie de droit divin en France.
3. **César Bonesana :** autre nom de Beccaria (cf. note 18).
4. **La colonne :** la colonne Vendôme à Paris, monument à la gloire de Napoléon Bonaparte.
5. **La Chambre :** l'Assemblée nationale.
6. **Bramer :** crier, en parlant du daim ou du cerf.

procureur général[1], blanchi dans la robe rouge, qui avait
mangé toute sa vie le pain trempé de sang des réquisitoires[2], se composa tout à coup un air piteux et attesta les
170 dieux qu'il était indigné de la guillotine. Pendant deux
jours la tribune ne désemplit pas de harangueurs[3] en
pleureuses. Ce fut une lamentation, une myriologie[4], un
concert de psaumes lugubres, un *Super flumina Babylonis*[5],
un *Stabat mater dolorosa*[6], une grande symphonie en *ut*[7],
175 avec chœurs, exécutée par tout cet orchestre d'orateurs
qui garnit les premiers bancs de la Chambre, et rend de si
beaux sons dans les grands jours. Tel vint avec sa basse[8],
tel avec son fausset[9]. Rien n'y manqua. La chose fut on ne
peut plus pathétique et pitoyable. La séance de nuit sur-
180 tout fut tendre, paterne[10] et déchirante comme un cin-
quième acte de Lachaussée[11]. Le bon public, qui n'y
comprenait rien, avait les larmes aux yeux.

De quoi s'agissait-il donc ? d'abolir la peine de mort ?

Oui et non.

185 Voici le fait :

Quatre hommes du monde, quatre hommes comme il
faut, de ces hommes qu'on a pu rencontrer dans un salon,
et avec qui peut-être on a échangé quelques paroles
polies ; quatre de ces hommes, dis-je, avaient tenté, dans

---

1. **Procureur général :** magistrat chargé de l'accusation.
2. **Réquisitoire :** discours où le procureur général énumère les fautes
   de l'accusé.
3. **Harangueurs :** orateurs qui prononcent des discours solennels.
4. **Myriologie :** rituel funèbre de la Grèce antique.
5. ***Super flumina Babylonis* :** psaume de l'Ancien Testament consacré
   aux souffrances du peuple juif.
6. ***Stabat mater dolorosa* :** poème religieux latin décrivant Marie au
   pied de la Croix.
7. **Symphonie en *ut* :** œuvre musicale à la tonalité solennelle.
8. **Basse :** voix grave.
9. **Fausset :** voix très aiguë.
10. **Paterne :** douce et bienveillante.
11. **Lachaussée :** dramaturge auteur de pièces de registre pathétique.

les hautes régions politiques, un de ces coups hardis que 190
Bacon[1] appelle *crimes*, et que Machiavel[2] appelle *entre-prises*. Or, crime ou entreprise, la loi, brutale pour tous, punit cela de mort. Et les quatre malheureux étaient là, prisonniers, captifs de la loi, gardés par trois cents cocardes tricolores[3] sous les belles ogives de Vincennes[4]. Que faire 195
et comment faire ? Vous comprenez qu'il est impossible d'envoyer à la Grève, dans une charrette, ignoblement liés avec de grosses cordes, dos à dos avec ce fonctionnaire qu'il ne faut pas seulement nommer, quatre hommes comme vous et moi, quatre *hommes du monde* ? Encore 200
s'il y avait une guillotine en acajou !

Hé ! il n'y a qu'à abolir la peine de mort !

Et là-dessus, la Chambre se met en besogne.

Remarquez, messieurs, qu'hier encore vous traitiez cette abolition d'utopie, de théorie, de rêve, de folie, de 205
poésie. Remarquez que ce n'est pas la première fois qu'on cherche à appeler votre attention sur la charrette, sur les grosses cordes et sur l'horrible machine écarlate[5], et qu'il est étrange que ce hideux attirail vous saute ainsi aux yeux tout à coup. 210

Bah ! c'est bien de cela qu'il s'agit ! Ce n'est pas à cause de vous, peuple, que nous abolissons la peine de mort, mais à cause de nous, députés qui pouvons être ministres. Nous ne voulons pas que la mécanique de Guillotin[6] morde les hautes classes. Nous la brisons. Tant mieux si 215
cela arrange tout le monde, mais nous n'avons songé qu'à

---

1. **Bacon** : philosophe anglais (1561-1626).
2. **Machiavel** : homme d'État italien de la Renaissance (1469-1527), auteur du traité de philosophie politique *Le Prince*.
3. **Trois cents cocardes tricolores** : comprendre « trois cents soldats français ».
4. **Les belles ogives de Vincennes** : allusion à l'emprisonnement, par les insurgés de la révolution de juillet 1830, des quatre ministres de Charles X au château de Vincennes, près de Paris (cf. note 51).
5. **Écarlate** : couleur rouge sang.
6. **Guillotin** : médecin français (1738-1814) inventeur de la guillotine.

nous. Ucalégon brûle[1]. Éteignons le feu. Vite, supprimons le bourreau, biffons[2] le code.

Et c'est ainsi qu'un alliage d'égoïsme altère et dénature
220 les plus belles combinaisons sociales. C'est la veine noire dans le marbre blanc ; elle circule partout, et apparaît à tout moment à l'improviste sous le ciseau[3]. Votre statue est à refaire.

Certes, il n'est pas besoin que nous le déclarions ici,
225 nous ne sommes pas de ceux qui réclamaient les têtes des quatre ministres[4]. Une fois ces infortunés arrêtés, la colère indignée que nous avait inspirée leur attentat s'est changée, chez nous comme chez tout le monde, en une profonde pitié. Nous avons songé aux préjugés d'éduca-
230 tion de quelques-uns d'entre eux, au cerveau peu déve-loppé de leur chef[5], relaps[6] fanatique et obstiné des conspirations de 1804, blanchi avant l'âge sous l'ombre humide des prisons d'État, aux nécessités fatales de leur position commune, à l'impossibilité d'enrayer sur cette
235 pente rapide où la monarchie s'était lancée elle-même à toute bride[7] le 8 août 1829[8], à l'influence trop peu cal-culée par nous jusqu'alors de la personne royale, surtout à la dignité que l'un d'entre eux répandait comme un manteau de pourpre[9] sur leur malheur. Nous sommes de
240 ceux qui leur souhaitaient bien sincèrement la vie sauve,

---

1. **Ucalégon brûle** : selon Virgile, c'est par l'embrasement de la maison de ce personnage que l'incendie de Troie commence.
2. **Biffons** : du verbe *biffer*, « rayer, effacer par rature ».
3. **Ciseau** : instrument utilisé par le sculpteur.
4. **Quatre ministres** : Polignac, Peyronnet, Chantelauze et Guernon de Ranville, ministres de Charles X qui furent emprisonnés durant la révo-lution de Juillet pour avoir tenté de restaurer un régime autoritaire.
5. **Leur chef** : le prince de Polignac.
6. **Relaps** : retombé dans le mal.
7. **À toute bride** : à toute allure.
8. **Le 8 août 1829** : date de la nomination de Polignac et du virage autoritaire et conservateur du régime de Charles X.
9. **Manteau de pourpre** : vêtement rouge vif qui symbolise le pouvoir.

et qui étaient prêts à se dévouer pour cela. Si jamais, par impossible, leur échafaud eût été dressé un jour en Grève, nous ne doutons pas, et si c'est une illusion nous voulons la conserver, nous ne doutons pas qu'il n'y eût eu une émeute pour le renverser, et celui qui écrit ces lignes eût été de cette sainte émeute. Car, il faut bien le dire aussi, dans les crises sociales, de tous les échafauds, l'échafaud politique est le plus abominable, le plus funeste, le plus vénéneux, le plus nécessaire à extirper. Cette espèce de guillotine-là prend racine dans le pavé, et en peu de temps repousse de bouture[1] sur tous les points du sol.

En temps de révolution, prenez garde à la première tête qui tombe. Elle met le peuple en appétit.

Nous étions donc personnellement d'accord avec ceux qui voulaient épargner les quatre ministres, et d'accord de toutes manières, par les raisons sentimentales comme par les raisons politiques. Seulement, nous eussions mieux aimé que la Chambre choisît une autre occasion pour proposer l'abolition de la peine de mort.

Si on l'avait proposée, cette souhaitable abolition, non à propos de quatre ministres tombés des Tuileries[2] à Vincennes, mais à propos du premier voleur de grands chemins venu, à propos d'un de ces misérables que vous regardez à peine quand ils passent près de vous dans la rue, auxquels vous ne parlez pas, dont vous évitez instinctivement le coudoiement poudreux[3] ; malheureux dont l'enfance déguenillée[4] a couru pieds nus dans la boue des carrefours, grelottant l'hiver au rebord des quais, se chauffant au soupirail des cuisines de M. Véfour[5]

---

1. **Repousse de bouture :** repousse comme une plante replantée.
2. **Tombés des Tuileries :** le palais des Tuileries était à l'époque le siège du pouvoir.
3. **Le coudoiement poudreux :** comprendre « la fréquentation des pauvres ».
4. **Déguenillée :** vêtue de vêtements misérables.
5. **M. Véfour :** propriétaire du plus grand restaurant parisien de l'époque.

270 chez qui vous dînez, déterrant çà et là une croûte de pain
dans un tas d'ordures et l'essuyant avant de la manger,
grattant tout le jour le ruisseau avec un clou pour y trouver un liard[1], n'ayant d'autre amusement que le spectacle
gratis de la fête du roi et les exécutions en Grève, cet
275 autre spectacle gratis ; pauvres diables, que la faim pousse
au vol, et le vol au reste ; enfants déshérités d'une société
marâtre[2], que la maison de force[3] prend à douze ans, le
bagne à dix-huit, l'échafaud à quarante ; infortunés
qu'avec une école et un atelier vous auriez pu rendre
280 bons, moraux, utiles, et dont vous ne savez que faire, les
versant, comme un fardeau inutile, tantôt dans la rouge
fourmilière de Toulon[4], tantôt dans le muet enclos de
Clamart[5], leur retranchant la vie après leur avoir volé la
liberté ; si c'eût été à propos d'un de ces hommes que
285 vous eussiez proposé d'abolir la peine de mort, oh ! alors,
votre séance eût été vraiment digne, grande, sainte,
majestueuse, vénérable. Depuis les augustes pères de
Trente[6] invitant les hérétiques au concile au nom des
entrailles de Dieu, *per viscera Dei*[7], parce qu'on espère
290 leur conversion, *quoniam sancta synodus sperat hœretico-*
rum conversionem[8], jamais assemblée d'hommes n'aurait
présenté au monde spectacle plus sublime, plus illustre et

---

1. **Un liard** : le quart d'un sou, soit une très faible somme.
2. **Marâtre** : mauvaise mère.
3. **Maison de force** : maison de redressement où les plus jeunes délin-
quants étaient enfermés.
4. **La rouge fourmilière de Toulon** : le bagne de Toulon.
5. **Le muet enclos de Clamart** : le cimetière de Clamart, où étaient
enterrés les condamnés à mort.
6. **Augustes pères de Trente** : cardinaux du concile de Trente (1545-
1563), à l'origine de la Contre-Réforme catholique visant à répondre
à l'émergence du protestantisme.
7. *Per viscera Dei* : « au nom des entrailles de Dieu » (expression théologique latine).
8. *Quoniam sancta [...] conversionem* : suite de la formule précédente « parce que l'on espère leur conversion ».

plus miséricordieux. Il a toujours appartenu à ceux qui sont vraiment forts et vraiment grands d'avoir souci du faible et du petit. Un conseil de brahmines[1] serait beau prenant en main la cause du paria[2]. Et ici, la cause du paria, c'était la cause du peuple. En abolissant la peine de mort, à cause de lui et sans attendre que vous fussiez intéressés dans la question, vous faisiez plus qu'une œuvre politique, vous faisiez une œuvre sociale.

Tandis que vous n'avez pas même fait une œuvre politique en essayant de l'abolir, non pour l'abolir, mais pour sauver quatre malheureux ministres pris la main dans le sac des coups d'État !

Qu'est-il arrivé ? c'est que, comme vous n'étiez pas sincères, on a été défiant[3]. Quand le peuple a vu qu'on voulait lui donner le change[4], il s'est fâché contre toute la question en masse, et, chose remarquable ! il a pris fait et cause pour cette peine de mort dont il supporte pourtant tout le poids. C'est votre maladresse qui l'a amené là. En abordant la question de biais et sans franchise, vous l'avez compromise pour longtemps. Vous jouiez une comédie. On l'a sifflée.

Cette farce pourtant, quelques esprits avaient eu la bonté de la prendre au sérieux. Immédiatement après la fameuse séance, ordre avait été donné aux procureurs généraux, par un Garde des sceaux[5] honnête homme, de suspendre indéfiniment toutes exécutions capitales. C'était en apparence un grand pas. Les adversaires de la peine de mort respirèrent. Mais leur illusion fut de courte durée.

---

1. **Brahmines :** (ou « brahmanes ») membres de la plus haute caste hindoue.
2. **Paria :** nom donné en Inde aux personnes hors caste et repoussées hors de la société.
3. **On a été défiant :** comprendre « on a été méfiant ».
4. **Lui donner le change :** lui mentir.
5. **Garde des sceaux :** ministre de la Justice.

Le procès des ministres fut mené à fin. Je ne sais quel arrêt fut rendu. Les quatre vies furent épargnées. Ham[1] fut choisi comme juste milieu entre la mort et la liberté. Ces
325 divers arrangements une fois faits, toute peur s'évanouit dans l'esprit des hommes d'État dirigeants, et, avec la peur, l'humanité s'en alla. Il ne fut plus question d'abolir le supplice capital ; et une fois qu'on n'eut plus besoin d'elle, l'utopie redevint utopie, la théorie, théorie, la poésie, poésie.
330 Il y avait pourtant toujours dans les prisons quelques malheureux condamnés vulgaires qui se promenaient dans les préaux[2] depuis cinq ou six mois, respirant l'air, tranquilles désormais, sûrs de vivre, prenant leur sursis pour leur grâce. Mais attendez.
335 Le bourreau, à vrai dire, avait eu grand'peur. Le jour où il avait entendu les faiseurs de lois parler humanité, philanthropie[3], progrès, il s'était cru perdu. Il s'était caché, le misérable, il s'était blotti sous sa guillotine, mal à l'aise au soleil de juillet comme un oiseau de nuit
340 en plein jour, tâchant de se faire oublier, se bouchant les oreilles et n'osant souffler. On ne le voyait plus depuis six mois. Il ne donnait plus signe de vie. Peu à peu cependant il s'était rassuré dans ses ténèbres. Il avait écouté du côté des Chambres et n'avait pas
345 entendu prononcer son nom. Plus de ces grands mots sonores dont il avait eu si grande frayeur. Plus de commentaires déclamatoires du *Traité des délits et des peines*[4]. On s'occupait de toute autre chose, de quelque grave intérêt social, d'un chemin vicinal[5], d'une subvention pour
350 l'Opéra-Comique, ou d'une saignée[6] de cent mille francs

---

1. **Ham** : ville de la Somme où furent emprisonnés les « quatre ministres » (cf. note 51) avant d'être transférés à la prison de Vincennes.
2. **Les préaux** : les cours des prisons.
3. **Philanthropie** : amour des humains.
4. ***Traité des délits et des peines*** : principale œuvre de Beccaria.
5. **Chemin vicinal** : petit chemin reliant entre elles des communes.
6. **Saignée** : dépense excessive.

sur un budget apoplectique[1] de quinze cents millions. Personne ne songeait plus à lui, coupe-tête. Ce que voyant, l'homme se tranquillise, il met sa tête hors de son trou, et regarde de tous côtés ; il fait un pas, puis deux, comme je ne sais plus quelle souris de La Fontaine[2], puis il se hasarde à sortir tout à fait de dessous son échafaudage, puis il saute dessus, le raccommode, le restaure, le fourbit, le caresse, le fait jouer, le fait reluire, se remet à suifer[3] la vieille mécanique rouillée que l'oisiveté détraquait ; tout à coup il se retourne, saisit au hasard par les cheveux dans la première prison venue un de ces infortunés qui comptaient sur la vie, le tire à lui, le dépouille, l'attache, le boucle, et voilà les exécutions qui recommencent.

Tout cela est affreux, mais c'est de l'histoire.

Oui, il y a eu un sursis de six mois accordé à de malheureux captifs, dont on a gratuitement aggravé la peine de cette façon en les faisant reprendre à la vie ; puis, sans raison, sans nécessité, sans trop savoir pourquoi, pour le plaisir, on a un beau matin révoqué le sursis et l'on a remis froidement toutes ces créatures humaines en coupe réglée[4]. Eh ! mon Dieu ! je vous le demande, qu'est-ce que cela nous faisait à tous que ces hommes vécussent ? Est-ce qu'il n'y a pas en France assez d'air à respirer pour tout le monde ?

Pour qu'un jour un misérable commis de la chancellerie[5], à qui cela était égal, se soit levé de sa chaise en disant : — Allons ! personne ne songe plus à l'abolition de la peine de mort. Il est temps de se remettre à guillotiner ! — il faut qu'il se soit passé dans le cœur de cet homme-là quelque chose de bien monstrueux.

---

1. **Apoplectique :** propre à étourdir. Par métaphore, excessif.
2. **Je ne sais plus quelle souris de La Fontaine :** allusion à la fable *Le Chat et le Vieux Rat*.
3. **Suifer :** enduire de graisse.
4. **Remis [...] en coupe réglée :** rendu à leurs bourreaux.
5. **Commis de la chancellerie :** employé du ministère de la Justice.

Du reste, disons-le, jamais les exécutions n'ont été accompagnées de circonstances plus atroces que depuis cette révocation du sursis de juillet, jamais l'anecdote de la Grève n'a été plus révoltante et n'a mieux prouvé l'exé-
385 cration de la peine de mort. Ce redoublement d'horreur est le juste châtiment des hommes qui ont remis le code du sang en vigueur. Qu'ils soient punis par leur œuvre. C'est bien fait.

Il faut citer ici deux ou trois exemples de ce que certaines
390 exécutions ont eu d'épouvantable et d'impie. Il faut donner mal aux nerfs aux femmes des procureurs du roi. Une femme, c'est quelquefois une conscience.

Dans le midi, vers la fin du mois de septembre dernier, nous n'avons pas bien présents à l'esprit le lieu, le jour, ni le
395 nom du condamné, mais nous les retrouverons si l'on conteste le fait, et nous croyons que c'est à Pamiers[1] ; vers la fin de septembre donc, on vient trouver un homme dans sa prison, où il jouait tranquillement aux cartes ; on lui signifie qu'il faut mourir dans deux heures, ce qui le fait
400 trembler de tous ses membres, car, depuis six mois qu'on l'oubliait, il ne comptait plus sur la mort ; on le rase, on le tond, on le garrotte[2], on le confesse ; puis on le brouette[3] entre quatre gendarmes, et à travers la foule, au lieu de l'exécution. Jusqu'ici rien que de simple. C'est comme cela
405 que cela se fait. Arrivé à l'échafaud, le bourreau le prend au prêtre, l'emporte, le ficelle sur la bascule, *l'enfourne*[4], je me sers ici du mot d'argot, puis il lâche le couperet. Le lourd triangle de fer se détache avec peine, tombe en cahotant dans ses rainures, et, voici l'horrible qui commence, entaille
410 l'homme sans le tuer. L'homme pousse un cri affreux. Le bourreau, déconcerté, relève le couperet et le laisse retom-

---

1. **Pamiers :** ville de l'Ariège où Hugo place - à tort - l'exécution de Pierre Hébrard.
2. **Garrotte :** de *garrotter*, attacher avec un lien très serré.
3. **On le brouette :** on le transporte dans une brouette.
4. ***L'enfourne :*** l'allonge sous la guillotine.

ber. Le couperet mord le cou du patient une seconde fois, mais ne le tranche pas. Le patient hurle, la foule aussi. Le bourreau rehisse encore le couperet, espérant mieux du troisième coup. Point. Le troisième coup fait jaillir un troi- 415 sième ruisseau de sang de la nuque du condamné, mais ne fait pas tomber la tête. Abrégeons. Le couteau remonta et retomba cinq fois, cinq fois il entama le condamné, cinq fois le condamné hurla sous le coup et secoua sa tête vivante en criant grâce ! Le peuple indigné prit des pierres 420 et se mit dans sa justice à lapider le misérable bourreau. Le bourreau s'enfuit sous la guillotine et s'y tapit derrière les chevaux des gendarmes. Mais vous n'êtes pas au bout. Le supplicié, se voyant seul sur l'échafaud, s'était redressé sur la planche, et là, debout, effroyable, ruisselant de sang, sou- 425 tenant sa tête à demi coupée qui pendait sur son épaule, il demandait avec de faibles cris qu'on vînt le détacher. La foule, pleine de pitié, était sur le point de forcer les gendarmes et de venir à l'aide du malheureux qui avait subi cinq fois son arrêt de mort. C'est en ce moment-là qu'un 430 valet du bourreau, jeune homme de vingt ans, monte sur l'échafaud, dit au patient de se tourner pour qu'il le délie, et, profitant de la posture du mourant qui se livrait à lui sans défiance, saute sur son dos et se met à lui couper péniblement ce qui lui restait de cou avec je ne sais quel 435 couteau de boucher. Cela s'est fait. Cela s'est vu. Oui.

Aux termes de la loi[1], un juge a dû assister à cette exécution. D'un signe, il pouvait tout arrêter. Que faisait-il donc au fond de sa voiture, cet homme, pendant qu'on massacrait un homme ? Que faisait ce punisseur d'assas- 440 sins, pendant qu'on assassinait en plein jour, sous ses yeux, sous le souffle de ses chevaux, sous la vitre de sa portière ?

Et le juge n'a pas été mis en jugement ! Et le bourreau n'a pas été mis en jugement ! Et aucun tribunal ne s'est enquis de cette monstrueuse extermination de toutes les 445 lois sur la personne sacrée d'une créature de Dieu !

---

1. **Aux termes de la loi :** selon la loi.

Au dix-septième siècle, à l'époque de barbarie du code criminel, sous Richelieu, sous Christophe Fouquet[1], quand
M. de Chalais[2] fut mis à mort devant le Bouffay[3] de Nantes
450 par un soldat maladroit qui, au lieu d'un coup d'épée, lui
donna trente-quatre coups[4] d'une doloire[5] de tonnelier, du
moins cela parut-il irrégulier au parlement de Paris : il y eut
enquête et procès, et si Richelieu ne fut pas puni, si Christophe Fouquet ne fut pas puni, le soldat le fut. Injustice sans
455 doute, mais au fond de laquelle il y avait de la justice.

Ici, rien. La chose a eu lieu après juillet, dans un temps de
douces mœurs et de progrès, un an après la célèbre lamentation de la Chambre sur la peine de mort. Eh bien ! le fait
a passé absolument inaperçu. Les journaux de Paris l'ont
460 publié comme une anecdote. Personne n'a été inquiété. On
a su seulement que la guillotine avait été disloquée exprès
par quelqu'un *qui voulait nuire à l'exécuteur des hautes
œuvres*[6]. C'était un valet du bourreau, chassé par son maître,
qui, pour se venger, lui avait fait cette malice.

465 Ce n'était qu'une espièglerie. Continuons.

À Dijon, il y a trois mois, on a mené au supplice une
femme. (Une femme !) Cette fois encore, le couteau du docteur Guillotin a mal fait son service. La tête n'a pas été tout
à fait coupée. Alors les valets de l'exécuteur se sont attelés
470 aux pieds de la femme, et à travers les hurlements de la
malheureuse, et à force de tiraillements et de soubresauts,
ils lui ont séparé la tête du corps par arrachement.

---

1. **Christophe Fouquet :** représentant des autorités à Nantes à cette
   époque.
2. **M. de Chalais :** Henri de Talleyrand, comte de Chalais, exécuté en
   1626 dans d'horribles souffrances pour avoir trempé dans diverses
   intrigues. Les circonstances de l'exécution sont connues par Hugo à
   travers les témoignages des historiens La Porte et Aubery.
3. **Le Bouffay :** place de Nantes où étaient exécutés les condamnés à mort.
4. La Porte dit vingt-deux, mais Aubery dit trente-quatre.M. de Chalais
   cria jusqu'au vingtième. [Note de Victor Hugo]
5. **Doloire :** couteau à large lame qui sert à dégrossir le cuir ou le bois.
6. ***L'exécuteur des hautes œuvres :*** comprendre « le bourreau ».

À Paris, nous revenons au temps des exécutions secrètes. Comme on n'ose plus décapiter en Grève depuis juillet, comme on a peur, comme on est lâche, voici ce qu'on fait. On a pris dernièrement à Bicêtre un homme, un condamné à mort, un nommé Désandrieux, je crois ; on l'a mis dans une espèce de panier traîné sur deux roues, clos de toutes parts, cadenassé et verrouillé ; puis, un gendarme en tête, un gendarme en queue, à petit bruit et sans foule, on a été déposer le paquet à la barrière déserte de Saint-Jacques[1]. Arrivés là, il était huit heures du matin, à peine jour, il y avait une guillotine toute fraîche dressée et pour public quelque douzaine de petits garçons groupés sur les tas de pierres voisins autour de la machine inattendue ; vite, on a tiré l'homme du panier, et, sans lui donner le temps de respirer, furtivement, sournoisement, honteusement, on lui a escamoté sa tête. Cela s'appelle un acte public et solennel de haute justice. Infâme dérision !

Comment donc les gens du roi comprennent-ils le mot civilisation ? Où en sommes-nous ? La justice ravalée[2] aux stratagèmes et aux supercheries ! La loi aux expédients[3] ! Monstrueux !

C'est donc une chose bien redoutable qu'un condamné à mort, pour que la société le prenne en traître de cette façon !

Soyons juste pourtant, l'exécution n'a pas été tout à fait secrète. Le matin on a crié et vendu comme de coutume l'arrêt de mort dans les carrefours de Paris. Il paraît qu'il y a des gens qui vivent de cette vente. Vous entendez ? du crime d'un infortuné, de son châtiment, de ses tortures, de son agonie, on fait une denrée, un papier qu'on vend un sou. Concevez-vous rien de plus hideux que ce sou,

---

1. **La barrière déserte de Saint-Jacques :** à l'époque, l'une des portes de Paris.
2. **Ravalée :** réduite.
3. **Expédients :** moyens, souvent peu honnêtes, de résoudre momentanément une difficulté.

vertdegrisé dans le sang[1] ? Qui est-ce donc qui le
505 ramasse ?

Voilà assez de faits. En voilà trop. Est-ce que tout cela
n'est pas horrible ? Qu'avez-vous à alléguer pour la peine
de mort[2] ?

Nous faisons cette question sérieusement ; nous la
510 faisons pour qu'on y réponde ; nous la faisons aux criminalistes[3], et non aux lettrés bavards. Nous savons qu'il y a
des gens qui prennent l'excellence de la peine de mort
pour texte à paradoxe comme tout autre thème. Il y en a
d'autres qui n'aiment la peine de mort que parce qu'ils
515 haïssent tel ou tel qui l'attaque. C'est pour eux une question
quasi littéraire, une question de personnes, une question
de noms propres. Ceux-là sont les envieux, qui ne font
pas plus faute aux bons jurisconsultes[4] qu'aux grands
artistes. Les Joseph Grippa ne manquent pas plus aux
520 Filangieri[5] que les Torregiani[6] aux Michel-Ange et les
Scudéry[7] aux Corneille.

Ce n'est pas à eux que nous nous adressons, mais aux
hommes de loi proprement dits, aux dialecticiens, aux rai-
sonneurs, à ceux qui aiment la peine de mort pour la peine
525 de mort, pour sa beauté, pour sa bonté, pour sa grâce.

Voyons, qu'ils donnent leurs raisons.

Ceux qui jugent et qui condamnent disent la peine de
mort nécessaire. D'abord, – parce qu'il importe de retran-

---

1. **Ce sou, vertdegrisé dans le sang :** sorte de rouille de couleur verte
   qui se forme à la surface du cuivre. Hugo fait allusion ici au prix de
   la place payé par ceux qui voulaient assister à une exécution.
2. **Qu'avez-vous à alléguer pour la peine de mort :** comprendre « quels
   arguments avez-vous pour défendre la peine de mort ».
3. **Criminalistes :** spécialistes du droit criminel.
4. **Jurisconsultes :** spécialistes du droit.
5. **Les Joseph Grippa [...] aux Filangieri :** deux juristes italiens du
   xviiie siècle qui étaient de farouches ennemis.
6. **Torregiani :** adversaire célèbre du peintre et sculpteur Michel-Ange.
7. **Scudéry :** Georges de Scudéry, romancier et dramaturge rival de
   Pierre Corneille.

cher de la communauté sociale un membre qui lui a déjà
nui et qui pourrait lui nuire encore. – S'il ne s'agissait que   530
de cela, la prison perpétuelle suffirait. À quoi bon la mort ?
Vous objectez qu'on peut s'échapper d'une prison ? faites
mieux votre ronde. Si vous ne croyez pas à la solidité des
barreaux de fer, comment osez-vous avoir des ménageries ?

Pas de bourreau où le geôlier suffit.   535

Mais, reprend-on, – il faut que la société se venge, que
la société punisse. – Ni l'un, ni l'autre. Se venger est de
l'individu, punir est de Dieu.

La société est entre deux. Le châtiment est au-dessus
d'elle, la vengeance au-dessous. Rien de si grand et de si   540
petit ne lui sied. Elle ne doit pas « punir pour se venger » ;
elle doit *corriger pour améliorer*. Transformez de cette
façon la formule des criminalistes, nous la comprenons et
nous adhérons.

Reste la troisième et dernière raison, la théorie de   545
l'exemple. – Il faut faire des exemples ! Il faut épouvanter
par le spectacle du sort réservé aux criminels ceux qui
seraient tentés de les imiter ! Voilà bien à peu près textuel-
lement la phrase éternelle dont tous les réquisitoires des
cinq cents parquets[1] de France ne sont que des variations   550
plus ou moins sonores. Eh bien ! nous nions d'abord qu'il y
ait exemple. Nous nions que le spectacle des supplices pro-
duise l'effet qu'on en attend. Loin d'édifier le peuple, il le
démoralise, et ruine en lui toute sensibilité, partant toute
vertu. Les preuves abondent, et encombreraient notre rai-   555
sonnement si nous voulions en citer. Nous signalerons
pourtant un fait entre mille, parce qu'il est le plus récent.
Au moment où nous écrivons, il n'a que dix jours de
date[2]. Il est du 5 mars, dernier jour du carnaval. À Saint-
Pol[3], immédiatement après l'exécution d'un incendiaire   560

---

1. **Parquets :** tribunaux.
2. **Il n'a que dix jours de date :** comprendre « cela s'est passé il n'y a
   que dix jours ».
3. **Saint-Pol :** probablement Saint-Pol-sur-Mer.

nommé Louis Camus, une troupe de masques est venue danser autour de l'échafaud encore fumant. Faites donc des exemples ! Le mardi gras[1] vous rit au nez.

Que si, malgré l'expérience, vous tenez à votre théorie
565 routinière de l'exemple, alors rendez-nous le seizième siècle, soyez vraiment formidables, rendez-nous la variété des supplices, rendez-nous Farinacci[2], rendez-nous les tourmenteurs-jurés[3], rendez-nous le gibet, la roue[4], le bûcher, l'estrapade[5], l'essorillement[6], l'écartèlement, la
570 fosse à enfouir vif, la cuve à bouillir vif ; rendez-nous, dans tous les carrefours de Paris, comme une boutique de plus ouverte parmi les autres, le hideux étal du bourreau, sans cesse garni de chair fraîche. Rendez-nous Montfaucon[7], ses seize piliers de pierre, ses brutes assises, ses
575 caves à ossements, ses poutres, ses crocs[8], ses chaînes, ses brochettes de squelettes, son éminence[9] de plâtre tachetée de corbeaux, ses potences succursales[10], et l'odeur du cadavre que par le vent du nord-est il répand à larges bouffées sur tout le faubourg du Temple. Rendez-
580 nous dans sa permanence et dans sa puissance ce gigantesque appentis[11] du bourreau de Paris. À la bonne heure ! Voilà de l'exemple en grand. Voilà de la peine de mort bien comprise. Voilà un système de supplices qui a

---

1. **Mardi gras** : jour traditionnel du carnaval.
2. **Farinacci** : juge et juriste italien du xvie siècle connu pour son extrême sévérité.
3. **Tourmenteurs-jurés** : tortionnaires.
4. **La roue** : supplice consistant à battre un prisonnier attaché sur une roue.
5. **L'estrapade** : torture dans laquelle on laisse tomber d'une certaine hauteur un supplicié attaché au bout d'une corde.
6. **L'essorillement** : supplice où l'on coupe les oreilles d'un condamné.
7. **Montfaucon** : lieu où était situé un célèbre gibet parisien.
8. **Crocs** : crochets.
9. **Éminence** : élévation de terrain où était installée la potence.
10. **Ses potences succursales** : les autres lieux d'exécution situés à côté de Montfaucon.
11. **Appentis** : bâtiments.

quelque proportion. Voilà qui est horrible, mais qui est terrible. 585

Ou bien faites comme en Angleterre. En Angleterre, pays de commerce, on prend un contrebandier sur la côte de Douvres[1], on le pend *pour l'exemple, pour l'exemple* on le laisse accroché au gibet ; mais, comme les intempéries de l'air pourraient détériorer le cadavre, on l'enveloppe 590 soigneusement d'une toile enduite de goudron, afin d'avoir à le renouveler moins souvent. Ô terre d'économie ! goudronner les pendus !

Cela pourtant a encore quelque logique. C'est la façon la plus humaine de comprendre la théorie de l'exemple. 595

Mais vous, est-ce bien sérieusement que vous croyez faire un exemple quand vous égorgillez[2] misérablement un pauvre homme dans le recoin le plus désert des boulevards extérieurs ? En Grève, en plein jour, passe encore ; mais à la barrière Saint-Jacques ! mais à huit heures du 600 matin ! Qui est-ce qui passe là ? Qui est-ce qui va là ? Qui est-ce qui sait que vous tuez un homme là ? Qui est-ce qui se doute que vous faites un exemple là ? Un exemple pour qui ? Pour les arbres du boulevard, apparemment.

Ne voyez-vous donc pas que vos exécutions publiques se 605 font en tapinois[3] ? Ne voyez-vous donc pas que vous vous cachez ? Que vous avez peur et honte de votre œuvre ? Que vous balbutiez ridiculement votre *discite justitiam moniti*[4] ? Qu'au fond vous êtes ébranlés, interdits, inquiets, peu certains d'avoir raison, gagnés par le doute général, 610 coupant des têtes par routine et sans trop savoir ce que vous faites ? Ne sentez-vous pas au fond du cœur que vous avez tout au moins perdu le sentiment moral et social de la

---

1. **Douvres :** ville de la côte sud de l'Angleterre.
2. **Égorgillez :** égorgez lentement.
3. **En tapinois :** en secret.
4. ***Discite justitiam moniti :*** « Apprenez par mon exemple ce qu'est la justice », selon l'expression d'un personnage de *L'Énéide* de Virgile, Phlégyas, supplicié aux Enfers.

mission de sang que vos prédécesseurs, les vieux parle-
615 mentaires, accomplissaient avec une conscience si tranquille ? La nuit, ne retournez-vous pas plus souvent qu'eux
la tête sur votre oreiller ? D'autres avant vous ont ordonné
des exécutions capitales, mais ils s'estimaient dans le droit,
dans le juste, dans le bien. Jouvenel des Ursins[1] se croyait
620 un juge ; Élie de Thorrette se croyait un juge ; Laubardemont, La Reynie et Laffemas[2] eux-mêmes se croyaient des
juges ; vous, dans votre for intérieur, vous n'êtes pas bien
sûrs de ne pas être des assassins !

Vous quittez la Grève pour la barrière Saint-Jacques, la
625 foule pour la solitude, le jour pour le crépuscule. Vous ne
faites plus fermement ce que vous faites. Vous vous cachez,
vous dis-je !

Toutes les raisons pour la peine de mort, les voilà donc
démolies. Voilà tous les syllogismes[3] de parquets mis à
630 néant. Tous ces copeaux de réquisitoires, les voilà balayés
et réduits en cendres. Le moindre attouchement de la
logique[4] dissout tous les mauvais raisonnements.

Que les gens du roi ne viennent donc plus nous
demander des têtes, à nous jurés, à nous hommes, en
635 nous adjurant d'une voix caressante au nom de la
société à protéger, de la vindicte[5] publique à assurer,
des exemples à faire. Rhétorique, ampoule[6], et néant
que tout cela ! un coup d'épingle dans ces hyperboles, et
vous les désenflez. Au fond de ce doucereux[7] verbiage,
640 vous ne trouvez que dureté de cœur, cruauté, barbarie,

---

1. **Jouvenel des Ursins** : magistrat de Richelieu connu pour sa cruauté.
2. **Laubardemont [...] Laffernas** : autres magistrats de Richelieu, aussi
   sévères que Jouvenel des Ursins. Laffemas est mis en scène par Hugo
   dans son roman *Marion de Lorme* (1829).
3. **Syllogismes** : ici, raisonnements artificiels.
4. **Le moindre attouchement de la logique** : comprendre « n'importe
   quelle réflexion logique ».
5. **Vindicte** : désir de vengeance et de punition.
6. **Ampoule** : formulation verbeuse.
7. **Doucereux** : qui a une douceur fade.

envie de prouver son zèle, nécessité de gagner ses honoraires. Taisez-vous, mandarins[1] ! Sous la patte de velours
du juge on sent les ongles du bourreau.

Il est difficile de songer de sang-froid à ce que c'est qu'un
procureur royal criminel. C'est un homme qui gagne sa vie   645
à envoyer les autres à l'échafaud. C'est le pourvoyeur titu-
laire des places de Grève. Du reste, c'est un monsieur qui a
des prétentions au style et aux lettres, qui est beau parleur
ou croit l'être, qui récite au besoin un vers latin ou deux
avant de conclure à la mort, qui cherche à faire de l'effet,   650
qui intéresse son amour-propre, ô misère ! là où d'autres
ont leur vie engagée, qui a ses modèles à lui, ses types
désespérants à atteindre, ses classiques, son Bellart[2], son
Marchangy[3], comme tel poète a Racine et tel autre Boileau.
Dans le débat, il tire du côté de la guillotine, c'est son rôle, 655
c'est son état. Son réquisitoire, c'est son œuvre littéraire, il
le fleurit de métaphores, il le parfume de citations, il faut
que cela soit beau à l'audience, que cela plaise aux dames.
Il a son bagage de lieux communs encore très neufs pour
la province, ses élégances d'élocution, ses recherches, ses   660
raffinements d'écrivain. Il hait le mot propre presque
autant que nos poètes tragiques de l'école de Delille[4].
N'ayez pas peur qu'il appelle les choses par leur nom. Fi
donc ! Il a pour toute idée dont la nudité vous révolterait
des déguisements complets d'épithètes et d'adjectifs. Il   665
rend M. Samson[5] présentable. Il gaze[6] le couperet. Il

---

1. **Mandarins :** hommes de pouvoir (par analogie avec les mandarins
   chinois, hauts fonctionnaires de la Chine ancienne).
2. **Bellart :** célèbre magistrat de la Restauration, qui a requis la condamnation à mort du maréchal Ney.
3. **Marchangy :** autre magistrat illustre de la même époque, auteur du
   réquisitoire contre les quatre sergents de La Rochelle, accusés d'un
   complot républicain et exécutés en 1822.
4. **Delille :** Jacques Delille (1738-1813), auteur d'une poésie morale et
   philosophique détestée par la génération romantique.
5. **Samson :** les Samson étaient une célèbre famille de bourreaux qui
   apparaît également dans *Han d'Islande* et *Les Misérables* ; Charles-
   Henri Samson guillotina Louis XVI et son fils Henri Marie-Antoinette.
6. **Gaze :** recouvre d'une étoffe légère.

estompe la bascule[1]. Il entortille le panier rouge[2] dans une périphrase. On ne sait plus ce que c'est. C'est douceâtre et décent. Vous le représentez-vous, la nuit, dans son cabinet,
670 élaborant à loisir et de son mieux cette harangue qui fera dresser un échafaud dans six semaines ? Le voyez-vous suant sang et eau pour emboîter la tête d'un accusé dans le plus fatal article du code ? Le voyez-vous scier avec une loi mal faite le cou d'un misérable ? Remarquez-vous
675 comme il fait infuser dans un gâchis de tropes[3] et de synecdoches[4] deux ou trois textes vénéneux pour en exprimer et en extraire à grand-peine la mort d'un homme ? N'est-il pas vrai que, tandis qu'il écrit, sous sa table, dans l'ombre, il a probablement le bourreau accroupi à ses pieds,
680 et qu'il arrête de temps en temps sa plume pour lui dire, comme le maître à son chien : — Paix là ! paix là ! tu vas avoir ton os !

Du reste, dans la vie privée, cet homme du roi peut être un honnête homme, bon père, bon fils, bon mari, bon ami,
685 comme disent toutes les épitaphes[5] du Père-Lachaise[6].

Espérons que le jour est prochain où la loi abolira ces fonctions funèbres. L'air seul de notre civilisation doit dans un temps donné user la peine de mort.

On est parfois tenté de croire que les défenseurs de la
690 peine de mort n'ont pas bien réfléchi à ce que c'est. Mais pesez donc un peu à la balance de quelque crime que ce soit ce droit exorbitant que la société s'arroge d'ôter ce qu'elle n'a pas donné, cette peine, la plus irréparable des peines irréparables !

695 De deux choses l'une :

Ou l'homme que vous frappez est sans famille, sans parents, sans adhérents dans ce monde. Et dans ce cas, il

---

1. **Estompe la bascule :** comprendre « dissimule l'échafaud ».
2. **Le panier rouge :** le panier où les têtes des guillotinés étaient placées.
3. **Tropes :** figures rhétoriques de comparaison.
4. **Synecdoches :** synecdoques, figures dans lesquelles on désigne le tout par la partie.
5. **Épitaphes :** inscriptions situées sur une tombe.
6. **Père-Lachaise :** le plus grand cimetière de Paris.

n'a reçu ni éducation, ni instruction, ni soins pour son esprit, ni soins pour son cœur ; et alors de quel droit tuez-vous ce misérable orphelin ? Vous le punissez de ce que son enfance a rampé sur le sol sans tige et sans tuteur ! Vous lui imputez à forfait l'isolement où vous l'avez laissé ! De son malheur vous faites son crime ! Personne ne lui a appris à savoir ce qu'il faisait. Cet homme ignore. Sa faute est à sa destinée, non à lui. Vous frappez un innocent. 705

Ou cet homme a une famille ; et alors croyez-vous que le coup dont vous l'égorgez ne blesse que lui seul ? que son père, que sa mère, que ses enfants, n'en saigneront pas ? Non. En le tuant, vous décapitez toute sa famille. Et ici encore vous frappez des innocents. 710

Gauche et aveugle pénalité, qui, de quelque côté qu'elle se tourne, frappe l'innocent !

Cet homme, ce coupable qui a une famille, séquestrez-le. Dans sa prison, il pourra travailler encore pour les siens. Mais comment les fera-t-il vivre du fond de son tombeau ? 715 Et songez-vous sans frissonner à ce que deviendront ces petits garçons, ces petites filles, auxquelles vous ôtez leur père, c'est-à-dire leur pain ? Est-ce que vous comptez sur cette famille pour approvisionner dans quinze ans, eux le bagne, elles le musico[1] ? Oh ! les pauvres innocents ! 720

Aux colonies, quand un arrêt de mort tue un esclave, il y a mille francs d'indemnité pour le propriétaire de l'homme. Quoi ! vous dédommagez le maître, et vous n'indemnisez pas la famille ! Ici aussi ne prenez-vous pas un homme à ceux qui le possèdent ? N'est-il pas, à un 725 titre bien autrement sacré que l'esclave vis-à-vis du maître, la propriété de son père, le bien de sa femme, la chose de ses enfants ?

Nous avons déjà convaincu votre loi d'assassinat. La voici convaincue de vol. 730

Autre chose encore. L'âme de cet homme, y songez-vous ? Savez-vous dans quel état elle se trouve ? Osez-vous

---

1. **Musico :** cabaret de mauvaise réputation.

bien l'expédier si lestement[1] ? Autrefois du moins, quelque
foi circulait dans le peuple ; au moment suprême, le souffle
735 religieux qui était dans l'air pouvait amollir le plus
endurci ; un patient était en même temps un pénitent ; la
religion lui ouvrait un monde au moment où la société lui
en fermait un autre ; toute âme avait conscience de Dieu ;
l'échafaud n'était qu'une frontière du ciel. Mais quelle
740 espérance mettez-vous sur l'échafaud maintenant que la
grosse foule ne croit plus ? maintenant que toutes les reli-
gions sont attaquées du dry-rot[2], comme ces vieux vais-
seaux qui pourrissent dans nos ports, et qui jadis peut-être
ont découvert des mondes ? maintenant que les petits
745 enfants se moquent de Dieu ? De quel droit lancez-vous
dans quelque chose dont vous doutez vous-mêmes les
âmes obscures de vos condamnés, ces âmes telles que Voltaire et M. Pigault-Lebrun[3] les ont faites ? Vous les livrez à
votre aumônier de prison, excellent vieillard sans doute ;
750 mais croit-il et fait-il croire ? Ne grossoie-t-il[4] pas comme
une corvée son œuvre sublime ? Est-ce que vous le prenez
pour un prêtre, ce bonhomme qui coudoie le bourreau
dans la charrette ? Un écrivain plein d'âme et de talent l'a
dit avant nous : *C'est une horrible chose de conserver le*
755 *bourreau après avoir ôté le confesseur !*

Ce ne sont là, sans doute, que des « raisons sentimentales », comme disent quelques dédaigneux qui ne prennent
leur logique que dans leur tête. À nos yeux, ce sont les
meilleures. Nous préférons souvent les raisons du sentiment
760 aux raisons de la raison. D'ailleurs les deux séries se tiennent
toujours, ne l'oublions pas. Le *Traité des délits* est greffé sur
L'Esprit des lois[5]. Montesquieu a engendré Beccaria.

---

1. **Lestement** : rapidement, sans y accorder d'attention.
2. **Dry-rot** : pourriture du bois.
3. **Pigault-Lebrun** : romancier populaire (1753-1835), peintre de la
société de son temps.
4. **Grossoie-t-il** : de *grossoyer*, « recopier rapidement ».
5. **L'Esprit des lois** : traité de philosophie politique où Montesquieu
s'oppose au despotisme.

La raison est pour nous, le sentiment est pour nous, l'expérience est aussi pour nous. Dans les États modèles, où la peine de mort est abolie, la masse des crimes capitaux suit d'année en année une baisse progressive. Pesez ceci. 765

Nous ne demandons cependant pas pour le moment une brusque et complète abolition de la peine de mort, comme celle où s'était si étourdiment engagée la Chambre des députés. Nous désirons, au contraire, tous les essais, 770 toutes les précautions, tous les tâtonnements de la prudence. D'ailleurs, nous ne voulons pas seulement l'abolition de la peine de mort, nous voulons un remaniement complet de la pénalité sous toutes ses formes, du haut en bas, depuis le verrou jusqu'au couperet, et le temps est un 775 des ingrédients qui doivent entrer dans une pareille œuvre pour qu'elle soit bien faite. Nous comptons développer ailleurs, sur cette matière, le système d'idées que nous croyons applicable. Mais, indépendamment des abolitions partielles pour le cas de fausse monnaie, d'incen- 780 die, de vols qualifiés[1], etc., nous demandons que dès à présent, dans toutes les affaires capitales, le président soit tenu de poser au jury cette question : *L'accusé a-t-il agi par passion ou par intérêt ?* et que, dans le cas où le jury répondrait : *L'accusé a agi par passion,* il n'y ait pas condam- 785 nation à mort. Ceci nous épargnerait du moins quelques exécutions révoltantes. Ulbach et Debacker seraient sauvés. On ne guillotinerait plus Othello[2].

Au reste, qu'on ne s'y trompe pas, cette question de la peine de mort mûrit tous les jours. Avant peu, la société 790 entière la résoudra comme nous.

Que les criminalistes les plus entêtés y fassent attention, depuis un siècle la peine de mort va s'amoindrissant. Elle se fait presque douce. Signe de décrépitude. Signe de faiblesse. Signe de mort prochaine. La torture a disparu. 795

---

1. **Vols qualifiés :** terme juridique désignant les délits de vol.
2. **Othello :** personnage principal de la tragédie *Othello* de Shakespeare, meurtrier par jalousie de son épouse Desdémone.

La roue a disparu. La potence a disparu. Chose étrange ! la guillotine elle-même est un progrès.

M. Guillotin était un philanthrope.

Oui, l'horrible Thémis[1] dentue et vorace de Farinace et de Vouglans, de Delancre et d'Isaac Loisel, de d'Oppède et de Machault[2], dépérit. Elle maigrit. Elle se meurt.

Voilà déjà la Grève qui n'en veut plus. La Grève se réhabilite. La vieille buveuse de sang s'est bien conduite en juillet. Elle veut mener désormais meilleure vie et rester digne de sa dernière belle action. Elle qui s'était prostituée depuis trois siècles à tous les échafauds, la pudeur la prend. Elle a honte de son ancien métier. Elle veut perdre son vilain nom. Elle répudie le bourreau. Elle lave son pavé.

À l'heure qu'il est, la peine de mort est déjà hors de Paris. Or, disons-le bien ici, sortir de Paris c'est sortir de la civilisation.

Tous les symptômes sont pour nous. Il semble aussi qu'elle se rebute et qu'elle rechigne, cette hideuse machine, ou plutôt ce monstre fait de bois et de fer qui est à Guillotin ce que Galatée est à Pygmalion[3]. Vues d'un certain côté, les effroyables exécutions que nous avons détaillées plus haut sont d'excellents signes. La guillotine hésite. Elle en est à manquer son coup. Tout le vieil échafaudage de la peine de mort se détraque.

L'infâme machine partira de France, nous y comptons, et, s'il plaît à Dieu, elle partira en boitant, car nous tâcherons de lui porter de rudes coups.

Qu'elle aille demander l'hospitalité ailleurs, à quelque peuple barbare, non à la Turquie, qui se civilise, non aux

---

1. **Thémis** : déesse grecque de la Justice, figurée avec une épée et une balance.
2. **Farinace [...] Machault** : noms de magistrats restés célèbres pour leur férocité.
3. **Pygmalion** : sculpteur légendaire de l'Antiquité, auteur d'une statue de Galatée que la déesse Aphrodite aurait, selon la légende, rendue vivante.

sauvages, qui ne voudraient pas d'elle[1] ; mais qu'elle 825
descende quelques échelons encore de l'échelle de la civilisation, qu'elle aille en Espagne ou en Russie.

L'édifice social du passé reposait sur trois colonnes, le
prêtre, le roi, le bourreau. Il y a déjà longtemps qu'une voix
a dit : *Les dieux s'en vont !* Dernièrement une autre voix s'est 830
élevée et a crié : *Les rois s'en vont !* Il est temps maintenant
qu'une troisième voix s'élève et dise : *Le bourreau s'en va !*

Ainsi l'ancienne société sera tombée pierre à pierre ;
ainsi la providence aura complété l'écroulement du passé.

À ceux qui ont regretté les dieux, on a pu dire : Dieu reste. 835
À ceux qui regrettent les rois, on peut dire : la patrie reste. À
ceux qui regretteraient le bourreau, on n'a rien à dire.

Et l'ordre ne disparaîtra pas avec le bourreau ; ne le
croyez point. La voûte de la société future ne croulera pas
pour n'avoir point cette clef hideuse. La civilisation n'est 840
autre chose qu'une série de transformations successives. À
quoi donc allez-vous assister ? à la transformation de la
pénalité. La douce loi du Christ pénétrera enfin le code et
rayonnera à travers. On regardera le crime comme une
maladie, et cette maladie aura ses médecins qui remplace- 845
ront vos juges, ses hôpitaux qui remplaceront vos bagnes.
La liberté et la santé se ressembleront. On versera le
baume[2] et l'huile où l'on appliquait le fer et le feu. On trai-
tera par la charité ce mal qu'on traitait par la colère. Ce sera
simple et sublime. La croix substituée au gibet. Voilà tout. 850

15 mars 1832.

---

1. Le « parlement » d'Otahiti [Tahiti] vient d'abolir la peine de mort.
   [Note de Victor Hugo]
2. **Le baume :** pommade utilisée comme médicament.

Clefs d'analyse

Préface de 1832.

Compréhension

L'information

- Relever les informations données par Hugo sur l'histoire de la publication de son roman.
- Faire la liste des exemples de condamnations à mort.

L'art de l'évocation

- Caractériser la présentation de la révolution de juillet 1830.
- Relever les métaphores de la peine de mort et de la guillotine.

Réflexion

La logique de l'argumentation

- Faire un plan de la préface et analyser l'organisation du plaidoyer d'Hugo.
- Relever et classer les arguments contre la peine de mort.

Hugo et ses interlocuteurs

- Identifier à qui, selon vous, Hugo s'adresse.
- Préciser le portrait brossé par l'auteur de chaque adversaire.

À retenir :

Une préface sert à expliquer le projet d'un ouvrage, à présenter son contexte, à le défendre contre d'éventuelles critiques. Celle-ci est un texte tardif, ajouté au roman en 1832, soit trois ans après sa première parution, en remplacement d'une première préface où Hugo présentait son roman comme l'œuvre d'un véritable condamné. L'auteur y réfute les principales critiques qui lui ont été adressées sur la forme de son récit, et il y replace son combat dans le contexte politique de la révolution de juillet 1830. Il propose ensuite un plaidoyer véhément mais très bien structuré en faveur de l'abolition de la peine de mort, en utilisant à la fois d'habiles arguments rationnels et des exemples frappants.

Synthèse Préface de 1832.

Un plaidoyer virulent

Thème

L'imaginaire de l'échafaud

La peine de mort correspond, chez Hugo, à une image qui le hantera toute sa vie. La guillotine apparaît décrite dans les aspects les plus affreux de son usage, l'auteur insistant sur les scènes d'exécutions ratées : ainsi celle où « le troisième coup fait jaillir un troisième ruisseau de sang de la nuque du condamné, mais ne fait pas tomber la tête ». Il use d'une hypotypose, procédé « consistant à décrire une scène de manière si vive, si énergique et si bien observée qu'elle s'offre aux yeux avec la présence, le relief et les couleurs de la réalité » (H. Morier).

À ce spectacle réaliste s'ajoute un recours systématique à des périphrases (figure de style par laquelle on dit en plusieurs mots ce que l'on pourrait dire en un seul) qui donnent une dimension fantastique à l'exécution capitale – la guillotine est ainsi une « horrible machine écarlate », ou encore un « hideux attirail » – ainsi qu'à des métaphores : celle du sang, filée durant tout le texte (le procureur a « mangé toute sa vie le pain trempé de sang des réquisitoires ») ; celle de la coupure (la peine de mort sert « à retrancher de la communauté sociale un membre qui lui a déjà nui ») ; celle de la chasse et de la nourriture : « la première tête qui tombe [...] met le peuple en appétit », la peine de mort étant « l'os » que donne le pouvoir au peuple pour « obtenir sa paix ». Champs lexicaux et images s'organisent ainsi en un réseau très dense pour frapper l'imagination du lecteur.

Langage

Victor Hugo orateur

Victor Hugo, qui s'est aussi rendu célèbre par ses discours devant la Chambre, s'en prend en apparence à la rhétorique et, en particulier, au genre de l'éloquence judiciaire : « Rhétorique,

Synthèse

ampoule, et néant que tout cela ! Un coup d'épingle dans ces hyperboles, et vous les désenflez. Au fond de ce doucereux verbiage, vous ne trouvez que dureté de cœur, cruauté, barbarie, envie de prouver son zèle, nécessité de gagner ses honoraires. Taisez-vous, mandarins ! ».

Il y oppose un langage non moins éloquent, mais usant d'une argumentation directe voire brutale, dont témoignent le rythme rapide et coupé de ses phrases et l'emploi systématique d'hyperboles et d'antithèses. Hugo insiste sur l'urgence des décisions à prendre (« Ucalégon brûle. Éteignons le feu. Vite, supprimons le bourreau, biffons le code ») et sur la gravité du débat (il n'y a pas de « but plus élevé, plus saint, plus auguste » que l'abolition de la peine de mort) avec un sens dramatique aigu, qu'il renforce par des procédés d'interlocution : adresses aux lecteurs par des questions rhétoriques, engagement du « je » de l'écrivain, usage du « nous », etc.

Après la défense de son livre et le rappel des événements historiques récents, il opère en trois phases : il met en scène l'horreur de la punition, s'en prenant à ses théoriciens, puis avance une série d'arguments abolitionnistes qui forment le cœur du plaidoyer, avant de conclure par une péroraison sur l'espoir d'un progrès social qui, à long terme, rendra inutile la cruauté des châtiments. Ces arguments relèvent d'une volonté de convaincre à la fois par des arguments rationnels (l'inefficacité de la peine de mort pour faire baisser la criminalité) et affectifs – Victor Hugo les nomme « raisons sentimentales » (comme l'impossibilité pour le condamné de faire pénitence). « La raison est pour nous, le sentiment est pour nous, l'expérience est aussi pour nous », explique Hugo, qui a réuni avec habileté dans son plaidoyer les ressources de la réflexion philosophique, de la description spectaculaire, du récit historique informé et du théâtre d'idées.

UNE COMÉDIE À PROPOS D'UNE TRAGÉDIE[1]

Personnages

Madame De Blinval

Le Chevalier

Ergaste

Un Poète Élégiaque[2]

Un Philosophe

Un Gros Monsieur[3]

Un Monsieur Maigre

Des femmes

Un laquais

---

1. Nous avons cru devoir réimprimer ici l'espèce de préface en dialogue qu'on va lire, et qui accompagnait la troisième édition du *Dernier Jour d'un condamné*. Il faut se rappeler, en la lisant, au milieu de quelles objections politiques, morales et littéraires les premières éditions de ce livre furent publiées. [Note de l'édition de 1832]

2. **Élégiaque :** registre de la tristesse et du regret.

3. **Un gros monsieur :** allusion d'Hugo au critique Jules Janin, qui s'en prit à la première version du *Dernier Jour d'un condamné*.

Une comédie à propos d'une tragédie

Un salon.

Un Poète Élégiaque, *lisant.*

> Le lendemain, des pas traversaient la forêt,
> Un chien le long du fleuve en aboyant errait ;
> Et quand la bachelette[1] en larmes
> Revint s'asseoir, le cœur rempli d'alarmes,
> Sur la tant vieille tour de l'antique châtel[2],
> Elle entendit les flots gémir, la triste Isaure,
> Mais plus n'entendit la mandore[3]
> Du gentil ménestrel[4] !

Tout l'auditoire. Bravo ! charmant ! ravissant ! *On bat des mains.*

Madame De Blinval. Il y a dans cette fin un mystère indéfinissable qui tire les larmes des yeux.

Le Poète Élégiaque, *modestement.* La catastrophe est voilée.

Le Chevalier, *hochant la tête. Mandore, ménestrel,* c'est du romantique, ça !

Le Poète Élégiaque. Oui, monsieur, mais du romantique raisonnable, du vrai romantique. Que voulez-vous ? Il faut bien faire quelques concessions.

Le Chevalier. Des concessions ! Des concessions ! C'est comme cela qu'on perd le goût. Je donnerais tous les vers romantiques seulement pour ce quatrain :

---

1. **Bachelette :** jeune fille (terme pseudo-médiéval, comme le vocabulaire qui suit).
2. **Châtel :** orthographe ancienne de « château ».
3. **Mandore :** luth.
4. **Ménestrel :** poète du Moyen Âge qui chantait en s'accompagnant de musique.

De par le Pinde[1] et par Cythère[2],
Gentil-Bernard[3] est averti
Que l'Art d'Aimer[4] doit samedi   25
Venir souper chez l'Art de Plaire[5].

Voilà la vraie poésie ! *L'Art d'Aimer qui soupe samedi chez l'Art de Plaire* ! à la bonne heure ! Mais aujourd'hui c'est la *mandore, le ménestrel.* On ne fait plus de *poésies fugitives.* Si j'étais poète, je ferais des *poésies fugitives* ; mais je   30
ne suis pas poète, moi.

LE POÈTE ÉLÉGIAQUE. Cependant, les élégies...

LE CHEVALIER. *Poésies fugitives* monsieur. *(Bas à Mme de Blinval)* Et puis, *châtel* n'est pas français ; on dit *Castel.*

QUELQU'UN, *au poète élégiaque.* Une observation, mon-   35
sieur. Vous dites *l'antique châtel,* pourquoi pas le *gothique[6]* ?

LE POÈTE ÉLÉGIAQUE. *Gothique* ne se dit pas en vers.

QUELQU'UN. Ah ! c'est différent.

LE POÈTE ÉLÉGIAQUE, *poursuivant.* Voyez-vous bien, monsieur, il faut se borner. Je ne suis pas de ceux qui veulent   40
désorganiser le vers français, et nous ramener à l'époque
des Ronsard[7] et des Brébeuf[8]. Je suis romantique, mais
modéré. C'est comme pour les émotions. Je les veux douces,
rêveuses, mélancoliques, mais jamais de sang, jamais d'hor-

---

1. **Le Pinde :** Pindare, poète de la Grèce antique.
2. **Cythère :** île grecque mythique dévouée à l'amour.
3. **Gentil-Bernard :** nom imaginaire inspiré des personnages des précieuses du XVIIe siècle.
4. **L'Art d'aimer :** personnage nommé d'après une œuvre d'Ovide, *L'Art d'aimer.*
5. **L'Art de plaire :** autre nom allégorique formé selon l'usage des précieuses.
6. **Gothique :** terme technique désignant l'architecture de la seconde moitié du XIIe siècle.
7. **Ronsard :** poète français de la Renaissance.
8. **Brébeuf :** poète du XVIIe siècle, resté célèbre pour l'extrême raffinement de ses vers.

45 reurs. Voiler les catastrophes. Je sais qu'il y a des gens, des fous, des imaginations en délire qui... Tenez, mesdames, avez-vous lu le nouveau roman ?

LES DAMES. Quel roman ?

LE POÈTE ÉLÉGIAQUE. *Le Dernier Jour...*

50 **UN GROS MONSIEUR.** Assez, monsieur ! Je sais ce que vous voulez dire. Le titre seul me fait mal aux nerfs.

MADAME DE BLINVAL. Et à moi aussi. C'est un livre affreux. Je l'ai là.

LES DAMES. Voyons, voyons.
55 *On se passe le livre de main en main*

QUELQU'UN, *lisant. Le Dernier Jour d'un...*

LE GROS MONSIEUR. Grâce, madame !

MADAME DE BLINVAL. En effet, c'est un livre abominable, un livre qui donne le cauchemar, un livre qui rend
60 malade.

UNE FEMME, *bas.* Il faudra que je lise cela.

LE GROS MONSIEUR. Il faut convenir que les mœurs vont se dépravant de jour en jour. Mon Dieu, l'horrible idée ! Développer, creuser, analyser, l'une après l'autre et
65 sans en passer une seule, toutes les souffrances physiques, toutes les tortures morales que doit éprouver un homme condamné à mort, le jour de l'exécution ! Cela n'est-il pas atroce ? Comprenez-vous, mesdames, qu'il se soit trouvé un écrivain pour cette idée, et un public pour cet
70 écrivain ?

LE CHEVALIER. Voilà en effet qui est souverainement impertinent.

MADAME DE BLINVAL. Qu'est-ce que c'est que l'auteur ?

LE GROS MONSIEUR. Il n'y avait pas de nom à la pre-
75 mière édition.

LE POÈTE ÉLÉGIAQUE. C'est le même qui a déjà fait deux autres romans... ma foi, j'ai oublié les titres. Le premier[1] commence à la Morgue et finit à la Grève. À chaque chapitre, il y a un ogre qui mange un enfant.

LE GROS MONSIEUR. Vous avez lu cela, monsieur ? 80

LE POÈTE ÉLÉGIAQUE. Oui, monsieur ; la scène se passe en Islande.

LE GROS MONSIEUR. En Islande, c'est épouvantable !

LE POÈTE ÉLÉGIAQUE. Il a fait en outre des odes, des ballades[2], je ne sais quoi, où il y a des monstres qui ont 85 des *corps bleus*.

LE CHEVALIER, *riant.* Corbleu[3] ! cela doit faire un furieux vers.

LE POÈTE ÉLÉGIAQUE. Il a publié aussi un drame, – on appelle cela un drame, – où l'on trouve ce beau vers : 90

Demain vingt-cinq juin mil six cent cinquante sept[4].

QUELQU'UN. Ah, ce vers !

LE POÈTE ÉLÉGIAQUE. Cela peut s'écrire en chiffres, voyez-vous, mesdames :

Demain, 25 juin 1657. 95

Il rit. On rit.

LE CHEVALIER. C'est une chose particulière que la poésie d'à présent.

LE GROS MONSIEUR. Ah çà ! il ne sait pas versifier, cet homme-là ! Comment donc s'appelle-t-il déjà ? 100

---

1. **Le premier :** allusion au premier roman d'Hugo, *Han d'Islande* (1823).

2. **Des odes, des ballades :** allusion au premier recueil de poésie d'Hugo, *Odes et Ballades* (1826).

3. **Corbleu :** interjection (qui reprend par paronomase, c'est-à-dire par équivalence sonore, la fin de la phrase précédente).

4. ***Demain vingt-cinq juin mil six cent cinquante sept :*** premier vers de *Cromwell* de Victor Hugo (1827), qui fit scandale par son infraction aux règles classiques de l'alexandrin.

Une comédie à propos d'une tragédie

LE POÈTE ÉLÉGIAQUE. Il a un nom aussi difficile à retenir qu'à prononcer. Il y a du goth, du wisigoth, de l'ostrogoth dedans[1].
Il rit.

105 **MADAME DE BLINVAL.** C'est un vilain homme.

LE GROS MONSIEUR. Un abominable homme.

UNE JEUNE FEMME. Quelqu'un qui le connaît m'a dit...

LE GROS MONSIEUR. Vous connaissez quelqu'un qui le connaît ?

110 **LA JEUNE FEMME.** Oui, et qui dit que c'est un homme doux, simple, qui vit dans la retraite et passe ses journées à jouer avec ses enfants.

LE POÈTE. Et ses nuits à rêver des œuvres de ténèbres. – C'est singulier ; voilà un vers que j'ai fait tout naturelle-
115 ment. Mais c'est qu'il y est, le vers :

> *Et ses nuits à rêver des œuvres de ténèbres.*

Avec une bonne césure. Il n'y a plus que l'autre rime à trouver. Pardieu ! *funèbres.*

MADAME DE BLINVAL. *Quidquid tentabat dicere, versus*
120 *erat*[2].

LE GROS MONSIEUR. Vous disiez donc que l'auteur en question a des petits enfants. Impossible, madame. Quand on a fait cet ouvrage-là ! Un roman atroce !

QUELQU'UN. Mais, ce roman, dans quel but l'a-t-il fait ?

125 **LE POÈTE ÉLÉGIAQUE.** Est-ce que je sais, moi ?

---

1. **Du goth, du wisigoth, de l'ostrogoth :** référence aux barbares germaniques ayant envahi l'Europe à la fin de l'Empire romain. Ces termes sont autant de jeux de mots sur le nom *Hugo*.
2. ***Quidquid tentabat dicere, versus erat* :** « tout ce qu'il savait dire lui venait en vers », formule d'Ovide, poète resté lui-même célèbre pour sa facilité à composer des vers.

UN PHILOSOPHE. À ce qu'il paraît, dans le but de concourir à l'abolition de la peine de mort.

LE GROS MONSIEUR. Une horreur, vous dis-je !

LE CHEVALIER. Ah ça ! C'est donc un duel avec le bourreau ? 130

LE POÈTE ÉLÉGIAQUE. Il en veut terriblement à la guillotine.

UN MONSIEUR MAIGRE. Je vois cela d'ici. Des déclamations.

LE GROS MONSIEUR. Point. Il y a à peine deux pages 135 sur ce texte de la peine de mort. Tout le reste, ce sont des sensations.

LE PHILOSOPHE. Voilà le tort. Le sujet méritait le raisonnement. Un drame, un roman ne prouve rien. Et puis, j'ai lu le livre, et il est mauvais. 140

LE POÈTE ÉLÉGIAQUE. Détestable ! Est-ce que c'est là de l'art ? C'est passer les bornes, c'est casser les vitres. Encore, ce criminel, si je le connaissais ? Mais point. Qu'a-t-il fait ? On n'en sait rien. C'est peut-être un fort mauvais drôle. On n'a pas le droit de m'intéresser à 145 quelqu'un que je ne connais pas.

LE GROS MONSIEUR. On n'a pas le droit de faire éprouver à son lecteur des souffrances physiques. Quand je vois des tragédies, on se tue, eh bien ! cela ne me fait rien. Mais ce roman, il vous fait dresser les cheveux sur la tête, 150 il vous fait venir la chair de poule, il vous donne de mauvais rêves. J'ai été deux jours au lit pour l'avoir lu.

LE PHILOSOPHE. Ajoutez à cela que c'est un livre froid et compassé[1].

LE POÈTE. Un livre !... un livre !... 155

LE PHILOSOPHE. Oui. – Et comme vous disiez tout à l'heure, monsieur, ce n'est point là de véritable esthétique.

---

1. **Compassé** : grave, affecté.

Je ne m'intéresse pas à une abstraction, à une entité pure.
Je ne vois point là une personnalité qui s'adéquate[1] avec
la mienne. Et puis, le style n'est ni simple ni clair. Il sent
l'archaïsme. C'est bien là ce que vous disiez, n'est-ce pas ?

LE POÈTE. Sans doute, sans doute. Il ne faut pas de
personnalités[2].

LE PHILOSOPHE. Le condamné n'est pas intéressant.

LE POÈTE. Comment intéresserait-il ? Il a un crime et
pas de remords. J'eusse fait tout le contraire. J'eusse conté
l'histoire de mon condamné. Né de parents honnêtes. Une
bonne éducation. De l'amour. De la jalousie. Un crime qui
n'en soit pas un. Et puis des remords, des remords, beaucoup de remords. Mais les lois humaines sont impla-
cables : il faut qu'il meure. Et là j'aurais traité ma question
de la peine de mort. À la bonne heure !

MADAME DE BLINVAL. Ah ! ah !

LE PHILOSOPHE. Pardon. Le livre, comme l'entend monsieur, ne prouverait rien. La particularité ne régit pas la
généralité.

LE POÈTE. Eh bien ! mieux encore ; pourquoi n'avoir
pas choisi pour héros, par exemple... Malesherbes[3], le
vertueux Malesherbes ? son dernier jour, son supplice ?
Oh ! alors, beau et noble spectacle ! J'eusse pleuré, j'eusse
frémi, j'eusse voulu monter sur l'échafaud avec lui.

LE PHILOSOPHE. Pas moi.

LE CHEVALIER. Ni moi. C'était un révolutionnaire, au
fond, que votre M. de Malesherbes.

LE PHILOSOPHE. L'échafaud de Malesherbes ne prouve
rien contre la peine de mort en général.

---

1. **Qui s'adéquate :** comprendre « qui corresponde ». Le verbe est comme
   le reste du discours du Philosophe : pédant.
2. **Personnalités :** personnages.
3. **Malesherbes :** homme politique favorable aux philosophes des
   Lumières et ami de Rousseau. Il défendit Louis XVI à son procès et
   fut guillotiné durant la Terreur en 1794.

LE GROS MONSIEUR. La peine de mort ! À quoi bon s'occuper de cela ? Qu'est-ce que cela vous fait, la peine de mort ? Il faut que cet auteur soit bien mal né de venir nous donner le cauchemar à ce sujet avec son livre ! 190

MADAME DE BLINVAL. Ah ! oui, un bien mauvais cœur !

LE GROS MONSIEUR. Il nous force à regarder dans les prisons, dans les bagnes, dans Bicêtre[1]. C'est fort désagréable. On sait bien que ce sont des cloaques[2]. Mais qu'importe à la société ? 195

MADAME DE BLINVAL. Ceux qui ont fait les lois n'étaient pas des enfants.

LE PHILOSOPHE. Ah ! cependant ! en présentant les choses avec vérité... 200

LE MONSIEUR MAIGRE. Eh ! c'est justement ce qui manque, la vérité. Que voulez-vous qu'un poète sache sur de pareilles matières ? Il faudrait être au moins procureur du roi. Tenez : j'ai lu dans une citation qu'un journal faisait de ce livre, que le condamné ne dit rien quand on 205 lui lit son arrêt de mort ! Eh bien, moi, j'ai vu un condamné qui, dans ce moment-là, a poussé un grand cri. – Vous voyez.

LE PHILOSOPHE. Permettez...

LE MONSIEUR MAIGRE. Tenez, messieurs, la guillotine, 210 la Grève, c'est de mauvais goût. Et la preuve, c'est qu'il paraît que c'est un livre qui corrompt le goût, et vous rend incapable d'émotions pures, fraîches, naïves. Quand donc se lèveront les défenseurs de la saine littérature ? Je voudrais être, et mes réquisitoires m'en donneraient peut- 215 être le droit, membre de l'Académie française... – Voilà justement monsieur Ergaste, qui en est. Que pense-t-il du *Dernier Jour d'un condamné* ?

---

1. **Bicêtre :** prison pour les forçats.
2. **Cloaques :** égouts.

Une comédie à propos d'une tragédie

ERGASTE. Ma foi, monsieur, je ne l'ai lu ni ne le lirai. Je
220 dînais hier chez Mme de Sénange[1], et la marquise de
Morival en a parlé au duc de Melcour. On dit qu'il y a des
personnalités contre la magistrature, et surtout contre le
président d'Alimont. L'abbé de Floricour aussi était indigné.
Il paraît qu'il y a un chapitre contre la religion, et un cha-
225 pitre contre la monarchie. Si j'étais procureur du roi !...

LE CHEVALIER. Ah bien oui, procureur du roi ! et la
charte[2] ! et la liberté de la presse[3] ! Cependant, un poète
qui veut supprimer la peine de mort, vous conviendrez
que c'est odieux. Ah ! ah ! dans l'ancien régime,
230 quelqu'un qui se serait permis de publier un roman
contre la torture !... – Mais depuis la prise de la Bastille, on
peut tout écrire. Les livres font un mal affreux.

LE GROS MONSIEUR. Affreux. – On était tranquille, on
ne pensait à rien. Il se coupait bien de temps en temps en
235 France une tête par-ci par-là, deux tout au plus par
semaine. Tout cela sans bruit, sans scandale. Ils ne disaient
rien. Personne n'y songeait. Pas du tout, voilà un livre... –
un livre qui vous donne un mal de tête horrible !

LE MONSIEUR MAIGRE. Le moyen qu'un juré condamne
240 après l'avoir lu !

ERGASTE. Cela trouble les consciences.

MADAME DE BLINVAL. Ah ! les livres ! les livres ! Qui
eût dit cela d'un roman ?

LE POÈTE. Il est certain que les livres sont bien souvent
245 un poison subversif de l'ordre social.

---

1. **Mme de Sénange :** comme les autres noms qui suivent, personnage aristocratique imaginaire.
2. **La charte :** constitution promulguée par Louis XVIII en 1814 et modifiée par Louis-Philippe en 1830, définissant les règles de fonctionnement de la monarchie parlementaire française de la Restauration.
3. **La liberté de la presse :** la censure était encore en vigueur à l'époque de la parution du roman d'Hugo, et la liberté de la presse constituait un objet de débat.

LE MONSIEUR MAIGRE. Sans compter la langue, que messieurs les romantiques révolutionnent aussi[1].

LE POÈTE. Distinguons, monsieur ; il y a romantiques et romantiques.

LE MONSIEUR MAIGRE. Le mauvais goût, le mauvais goût. 250

ERGASTE. Vous avez raison. Le mauvais goût.

LE MONSIEUR MAIGRE. Il n'y a rien à répondre à cela.

LE PHILOSOPHE, *appuyé au fauteuil d'une dame.* Ils disent là des choses qu'on ne dit même plus rue Mouffetard[2]. 255

ERGASTE. Ah ! l'abominable livre !

MADAME DE BLINVAL. Hé ! ne le jetez pas au feu. Il est à la loueuse.

LE CHEVALIER. Parlez-moi de notre temps. Comme tout s'est dépravé depuis, le goût et les mœurs ! Vous souvient- 260 il de notre temps, Madame de Blinval ?

MADAME DE BLINVAL. Non, monsieur, il ne m'en souvient pas.

LE CHEVALIER. Nous étions le peuple le plus doux, le plus gai, le plus spirituel. Toujours de belles fêtes, de jolis 265 vers. C'était charmant. Y a-t-il rien de plus galant que le madrigal[3] de M. de La Harpe[4] sur le grand bal que Mme la maréchale de Mailly donna en mil sept cent... l'année de l'exécution de Damiens[5] ?

---

1. **La langue [...] aussi :** c'est en effet l'usage romantique de la langue littéraire qui fit scandale, comme en témoigne la célèbre « bataille d'Hernani ».
2. **Rue Mouffetard :** rue de Paris où se trouvait un célèbre marché populaire.
3. **Madrigal :** pièce de poésie galante.
4. **M. de La Harpe :** critique littéraire qui incarne pour les romantiques une vision de la littérature passée de mode.
5. **Damiens :** auteur d'une tentative d'assassinat de Louis XV à Versailles, qui fut écartelé en place de Grève en 1757.

270 **LE GROS MONSIEUR,** *soupirant.* Heureux temps ! Maintenant les mœurs sont horribles, et les livres aussi. C'est le beau vers de Boileau :

> *Et la chute des arts suit la décadence des mœurs[1].*

LE PHILOSOPHE, *bas au poète.* Soupe-t-on dans cette 275 maison ?

LE POÈTE ÉLÉGIAQUE. Oui, tout à l'heure.

LE MONSIEUR MAIGRE. Maintenant on veut abolir la peine de mort, et pour cela, on fait des romans cruels, immoraux et de mauvais goût, *Le Dernier Jour d'un* 280 *condamné*, que sais-je ?

LE GROS MONSIEUR. Tenez, mon cher, ne parlons plus de ce livre atroce ; et, puisque je vous rencontre, dites-moi, que faites-vous de cet homme dont nous avons rejeté le pourvoi[2] depuis trois semaines ?

LE MONSIEUR MAIGRE. Ah ! un peu de patience ! Je 285 suis en congé ici. Laissez-moi respirer. À mon retour. Si cela tarde trop pourtant, j'écrirai à mon substitut[3]...

UN LAQUAIS, *entrant.* Madame est servie.

---

1. ***Et la chute des arts suit la décadence des mœurs*** **:** il ne s'agit pas d'un « vers », puisque la phrase fait 14 syllabes, mais d'une formule du poète Gilbert, ici faussement attribuée à Boileau.
2. **Pourvoi :** demande de recours suspendant l'exécution d'un jugement.
3. **Substitut :** magistrat chargé de remplacer le procureur général lors d'un procès.

Clefs d'analyse

Une comédie à propos d'une tragédie.

Compréhension

▌ *La critique du roman*

• Relever et classer les critiques émises sur le roman d'Hugo.

▌ *Un débat littéraire*

• Identifier les différentes formes littéraires évoquées.

Réflexion

▌ *Des rôles et des textes symboliques*

• Chaque personnage est un symbole – d'une époque, d'une classe sociale, d'une norme esthétique... Identifier qui incarne quoi.

• Analyser le décalage entre la poésie du « poète élégiaque » et le style du roman. En observer les effets (poésie passéiste tournée en ridicule, urgence du texte d'Hugo...).

▌ *Hugo se mettant lui-même en scène*

• Reconstituer et interpréter le portrait indirect brossé par Hugo de l'auteur du *Dernier Jour d'un condamné*.

▌ *Un raisonnement inversé*

• Analyser comment l'auteur parvient à retourner à son profit les critiques faites à son livre.

À retenir :

Cette courte pièce de théâtre (en un acte) propose une forme très originale de préface au roman. Comme Molière dans La Critique de l'École des femmes (1663), Victor Hugo y répond aux principales critiques faites à son ouvrage tout en défendant la légitimité de son combat et le choix d'un récit romanesque. Cette argumentation est soutenue par une satire de ses adversaires, transformés en types caricaturaux. La défense de l'esthétique du roman s'accompagne donc d'une dénonciation morale et d'une satire sociale des partisans de la peine de mort. Opinions politiques, goûts, milieux et caractères semblent s'organisent en un tout.

Synthèse

Une comédie à propos d'une tragédie.

Une scène de théâtre en défense d'un roman

Thème

La critique sociale

La critique sociale est un élément essentiel du discours d'Hugo contre la peine de mort. Elle joue un double rôle : elle permet, d'une part, de dénoncer l'indifférence de la société bourgeoise et, d'autre part, d'expliquer les raisons qui poussent les misérables dans la criminalité. C'est le premier aspect qui est particulièrement net dans *Une comédie à propos d'une tragédie*. Hugo s'en prend aux conservateurs, critiques de mauvais goût, qui ont refusé de faire bon accueil à la littérature romantique, et bourgeois indifférents au sort d'autrui. Le « gros monsieur » qui ne s'intéresse qu'à son plaisir et le « monsieur maigre » qui se plaint de tout représentent deux formes d'égoïsme bourgeois.

Les bourgeois d'Hugo s'allient aux aristocrates, qui défendent, eux, l'Ancien Régime et sa tradition de censure (« Il paraît qu'il y a un chapitre contre la religion, et un chapitre contre la monarchie. Si j'étais procureur du roi !... » soupire Ergaste, qui constate à regret : « depuis la prise de la Bastille, on peut tout écrire »). L'auteur plaide ainsi pour un monde et une littérature où l'écrivain puisse jouer un rôle social : « Il est certain que les livres sont bien souvent un poison subversif de l'ordre social », dit le « poète », mais cette subversion est pour Victor Hugo une nécessité positive.

Synthèse
Une comédie à propos d'une tragédie.

Langage

Satire et ironie

L'usage du registre comique pour défendre une cause grave est un procédé fort ancien (au XVIe siècle, Rabelais invitait déjà le philosophe à « rompre l'os » des plaisanteries et à « sucer la substantifique moelle »). On le retrouve à la fois dans la comédie moliéresque et dans la tradition du pamphlet politique – un genre littéraire consistant en une satire violente des opinions d'un adversaire, qu'Hugo illustrera en s'en prenant à Louis Napoléon Bonaparte dans *Napoléon le Petit*. Déjà, la première préface avait ironisé sur l'inconscience des défenseurs de la peine de mort (« La guillotine elle-même est un progrès. M. Guillotin était un philanthrope » fait dire Hugo à ses adversaires). Dans *Une comédie à propos d'une tragédie*, l'humour est non seulement une arme politique, mais une composante essentielle d'une réflexion existentielle sur la peine de mort : l'ironie permet de dénoncer la cruauté inconsciente autant que la méchanceté volontaire. Les personnages de la préface d'Hugo sont identiques à ceux du roman qui, tel le greffier qui s'inquiète d'avoir perdu son tabac, ne parviennent pas à mesurer la gravité radicale du châtiment. Ainsi, les forces surhumaines auxquelles le héros tragique se confronte en vain sont bien présentes dans la condamnation à mort, mais il s'agit ici de l'inertie de la société bourgeoise bien-pensante, et non des volontés des dieux. La satire sociale devient donc une forme d'ironie tragique.

LE DERNIER JOUR D'UN CONDAMNÉ

CHAPITRE I

Bicêtre.

CONDAMNÉ À MORT !

Voilà cinq semaines que j'habite avec cette pensée,
toujours seul avec elle, toujours glacé de sa présence, toujours courbé sous son poids !

Autrefois, car il me semble qu'il y a plutôt des années
que des semaines, j'étais un homme comme un autre
homme. Chaque jour, chaque heure, chaque minute avait
son idée. Mon esprit, jeune et riche, était plein de fantaisies. Il s'amusait à me les dérouler les unes après les
autres, sans ordre et sans fin, brodant d'inépuisables
arabesques cette rude et mince étoffe de la vie. C'étaient
des jeunes filles, de splendides chapes[1] d'évêque, des
batailles gagnées, des théâtres pleins de bruit et de
lumière, et puis encore des jeunes filles et de sombres
promenades la nuit sous les larges bras des marronniers.
C'était toujours fête dans mon imagination. Je pouvais
penser à ce que je voulais, j'étais libre.

Maintenant je suis captif. Mon corps est aux fers dans
un cachot, mon esprit est en prison dans une idée. Une
horrible, une sanglante, une implacable idée ! Je n'ai plus
qu'une pensée, qu'une conviction, qu'une certitude :
condamné à mort !

---

1. **Chapes :** longs manteaux portés durant l'office.

Quoi que je fasse, elle est toujours là, cette pensée infernale, comme un spectre de plomb à mes côtés, seule et 25 jalouse, chassant toute distraction, face à face avec moi misérable, et me secouant de ses deux mains de glace quand je veux détourner la tête ou fermer les yeux. Elle se glisse sous toutes les formes où mon esprit voudrait la fuir, se mêle comme un refrain horrible à toutes les paroles 30 qu'on m'adresse, se colle avec moi aux grilles hideuses de mon cachot ; m'obsède éveillé, épie mon sommeil convulsif, et reparaît dans mes rêves sous la forme d'un couteau.

Je viens de m'éveiller en sursaut, poursuivi par elle et me disant : – Ah ! ce n'est qu'un rêve ! – Hé bien ! avant 35 même que mes yeux lourds aient eu le temps de s'entr'ouvrir assez pour voir cette fatale pensée écrite dans l'horrible réalité qui m'entoure, sur la dalle mouillée et suante de ma cellule, dans les rayons pâles de ma lampe de nuit, dans la trame grossière de la toile de mes 40 vêtements, sur la sombre figure du soldat de garde dont la giberne [1] reluit à travers la grille du cachot, il me semble que déjà une voix a murmuré à mon oreille : – Condamné à mort !

---

1. **Giberne :** sac à munitions.

CHAPITRE II

C'ÉTAIT par une belle matinée d'août.

Il y avait trois jours que mon procès était entamé, trois jours que mon nom et mon crime ralliaient chaque matin une nuée[1] de spectateurs, qui venaient s'abattre sur les bancs de la salle d'audience comme des corbeaux autour d'un cadavre, trois jours que toute cette fantasmagorie[2] des juges, des témoins, des avocats, des procureurs du roi, passait et repassait devant moi, tantôt grotesque, tantôt sanglante, toujours sombre et fatale. Les deux premières nuits, d'inquiétude et de terreur, je n'en avais pu dormir ; la troisième, j'en avais dormi d'ennui et de fatigue. À minuit, j'avais laissé les jurés délibérant.

On m'avait ramené sur la paille de mon cachot, et j'étais tombé sur-le-champ dans un sommeil profond, dans un sommeil d'oubli. C'étaient les premières heures de repos depuis bien des jours.

J'étais encore au plus profond de ce profond sommeil lorsqu'on vint me réveiller. Cette fois il ne suffit point du pas lourd et des souliers ferrés du guichetier[3], du cliquetis de son nœud de clefs, du grincement rauque des verrous ; il fallut pour me tirer de ma léthargie sa rude voix à mon oreille et sa main rude sur mon bras. – Levez-vous donc ! – J'ouvris les yeux, je me dressai effaré sur mon séant. En ce moment, par l'étroite et haute fenêtre de ma cellule, je vis au plafond du corridor voisin, seul ciel qu'il me fût donné d'entrevoir, ce reflet jaune où des yeux habitués aux ténèbres d'une prison savent si bien reconnaître le soleil. J'aime le soleil.

---

1. **Nuée :** multitude.
2. **Fantasmagorie :** spectacle surnaturel produit par les illusions d'optique d'un magicien.
3. **Guichetier :** gardien de prison.

– Il fait beau, dis-je au guichetier.

Il resta un moment sans me répondre, comme ne sachant si cela valait la peine de dépenser une parole ; puis avec quelque effort il murmura brusquement :

– C'est possible.

Je demeurais immobile, l'esprit à demi endormi, la bouche souriante, l'œil fixé sur cette douce réverbération dorée qui diaprait[1] le plafond.

– Voilà une belle journée, répétai-je.

– Oui, me répondit l'homme, on vous attend.

Ce peu de mots, comme le fil qui rompt le vol de l'insecte, me rejeta violemment dans la réalité. Je revis soudain, comme dans la lumière d'un éclair, la sombre salle des assises[2], le fer à cheval des juges[3] chargés de haillons ensanglantés, les trois rangs de témoins aux faces stupides, les deux gendarmes aux deux bouts de mon banc, et les robes noires s'agiter et les têtes de la foule fourmiller au fond dans l'ombre, et s'arrêter sur moi le regard fixe de ces douze jurés, qui avaient veillé pendant que je dormais !

Je me levai ; mes dents claquaient, mes mains tremblaient et ne savaient où trouver mes vêtements, mes jambes étaient faibles. Au premier pas que je fis, je trébuchai comme un portefaix[4] trop chargé. Cependant je suivis le geôlier.

Les deux gendarmes m'attendaient au seuil de la cellule. On me remit les menottes. Cela avait une petite serrure compliquée qu'ils fermèrent avec soin. Je laissai faire : c'était une machine sur une machine.

Nous traversâmes une cour intérieure. L'air vif du matin me ranima. Je levai la tête. Le ciel était bleu, et les rayons chauds du soleil, découpés par les longues cheminées,

---

1. **Diaprait** : décorait de multiples couleurs.
2. **Assises** : lieu de réunion du tribunal.
3. **Le fer à cheval des juges** : les sièges des juges étaient disposés en forme de demi-cercle.
4. **Portefaix** : homme qui a pour métier de porter des fardeaux.

60 traçaient de grands angles de lumière au faîte des murs
hauts et sombres de la prison. Il faisait beau en effet.

Nous montâmes un escalier tournant en vis ; nous pas-
sâmes un corridor, puis un autre, puis un troisième ; puis
une porte basse s'ouvrit. Un air chaud, mêlé de bruit, vint
65 me frapper au visage ; c'était le souffle de la foule dans la
salle des assises. J'entrai.

Il y eut à mon apparition une rumeur d'armes et de voix.
Les banquettes se déplacèrent bruyamment. Les cloisons
craquèrent ; et, pendant que je traversais la longue salle
70 entre deux masses de peuple murées de soldats, il me semblait que j'étais le centre auquel se rattachaient les fils qui
faisaient mouvoir toutes ces faces béantes et penchées.

En cet instant je m'aperçus que j'étais sans fers[1] ; mais
je ne pus me rappeler où ni quand on me les avait ôtés.

75 Alors il se fit un grand silence. J'étais parvenu à ma
place. Au moment où le tumulte cessa dans la foule, il
cessa aussi dans mes idées. Je compris tout à coup clairement ce que je n'avais fait qu'entrevoir confusément
jusqu'alors, que le moment décisif était venu, et que
80 j'étais là pour entendre ma sentence.

L'explique qui pourra, de la manière dont cette idée me
vint elle ne me causa pas de terreur. Les fenêtres étaient
ouvertes ; l'air et le bruit de la ville arrivaient librement
du dehors ; la salle était claire comme pour une noce ; les
85 gais rayons du soleil traçaient çà et là la figure lumineuse
des croisées[2], tantôt allongée sur le plancher, tantôt développée sur les tables, tantôt brisée à l'angle des murs ; et
de ces losanges éclatants aux fenêtres chaque rayon décou-
pait dans l'air un grand prisme[3] de poussière d'or.

90 Les juges, au fond de la salle, avaient l'air satisfait, probablement de la joie d'avoir bientôt fini. Le visage du président,
doucement éclairé par le reflet d'une vitre, avait quelque

---

1. **Fers :** chaînes utilisées pour attacher les prisonniers.
2. **Croisées :** éléments de bois sur une fenêtre.
3. **Prisme :** ici, forme géométrique découpée par la lumière.

chose de calme et de bon ; et un jeune assesseur[1] causait presque gaiement en chiffonnant son rabat[2] avec une jolie dame en chapeau rose, placée par faveur derrière lui.

Les jurés seuls paraissaient blêmes et abattus, mais c'était apparemment de fatigue d'avoir veillé toute la nuit. Quelques-uns bâillaient. Rien, dans leur contenance, n'annonçait des hommes qui viennent de porter une sentence de mort ; et sur les figures de ces bons bourgeois je ne devinais qu'une grande envie de dormir.

En face de moi, une fenêtre était toute grande ouverte. J'entendais rire sur le quai des marchandes de fleurs ; et, au bord de la croisée, une jolie petite plante jaune, toute pénétrée d'un rayon de soleil, jouait avec le vent dans une fente de la pierre.

Comment une idée sinistre aurait-elle pu poindre parmi tant de gracieuses sensations ? Inondé d'air et de soleil, il me fut impossible de penser à autre chose qu'à la liberté ; l'espérance vint rayonner en moi comme le jour autour de moi ; et, confiant, j'attendis ma sentence comme on attend la délivrance et la vie.

Cependant mon avocat arriva. On l'attendait. Il venait de déjeuner copieusement et de bon appétit. Parvenu à sa place, il se pencha vers moi avec un sourire.

– J'espère, me dit-il.

– N'est-ce pas ? répondis-je, léger et souriant aussi.

– Oui, reprit-il ; je ne sais rien encore de leur déclaration, mais ils auront sans doute écarté la préméditation, et alors ce ne sera que les travaux forcés à perpétuité.

– Que dites-vous là, monsieur ? répliquai-je, indigné ; plutôt cent fois la mort !

Oui, la mort ! – Et d'ailleurs, me répétait je ne sais quelle voix intérieure, qu'est-ce que je risque à dire cela ? A-t-on jamais prononcé sentence de mort autrement qu'à minuit, aux flambeaux, dans une salle sombre et noire, et

---

1. **Assesseur :** personne chargée d'aider les magistrats.
2. **Rabat :** partie de la robe d'un magistrat qui se rabat sur la poitrine.

par une froide nuit de pluie et d'hiver ? Mais au mois d'août, à huit heures du matin, un si beau jour, ces bons jurés, c'est impossible ! Et mes yeux revenaient se fixer
130 sur la jolie fleur jaune au soleil.

Tout à coup le président, qui n'attendait que l'avocat, m'invita à me lever. La troupe porta les armes ; comme par un mouvement électrique, toute l'assemblée fut debout au même instant. Une figure insignifiante et nulle, placée à
135 une table au-dessous du tribunal, c'était, je pense, le greffier[1], prit la parole, et lut le verdict que les jurés avaient prononcé en mon absence. Une sueur froide sortit de tous mes membres ; je m'appuyai au mur pour ne pas tomber.

– Avocat, avez-vous quelque chose à dire sur l'applica-
140 tion de la peine ? demanda le président.

J'aurais eu, moi, tout à dire, mais rien ne me vint. Ma langue resta collée à mon palais.

Le défenseur se leva.

Je compris qu'il cherchait à atténuer la déclaration du
145 jury, et à mettre dessous, au lieu de la peine qu'elle provoquait, l'autre peine, celle que j'avais été si blessé de lui voir espérer.

Il fallut que l'indignation fût bien forte, pour se faire jour à travers les mille émotions qui se disputaient ma
150 pensée. Je voulus répéter à haute voix ce que je lui avais déjà dit : Plutôt cent fois la mort ! Mais l'haleine me manqua, et je ne pus que l'arrêter rudement par le bras, en criant avec une force convulsive : Non !

Le procureur général combattit l'avocat, et je l'écoutai
155 avec une satisfaction stupide. Puis les juges sortirent, puis ils rentrèrent, et le président me lut mon arrêt.

– Condamné à mort ! dit la foule ; et, tandis qu'on m'emmenait, tout ce peuple se rua sur mes pas avec le fracas d'un édifice qui se démolit. Moi, je marchais, ivre et
160 stupéfait. Une révolution venait de se faire en moi. Jusqu'à l'arrêt de mort, je m'étais senti respirer, palpiter

---

1. **Greffier :** assistant des magistrats chargé de prendre en note le procès.

vivre dans le même milieu que les autres hommes ; maintenant je distinguais clairement comme une clôture entre le monde et moi. Rien ne m'apparaissait plus sous le même aspect qu'auparavant. Ces larges fenêtres lumineuses, ce beau soleil, ce ciel pur, cette jolie fleur, tout cela était blanc et pâle, de la couleur d'un linceul. Ces hommes, ces femmes, ces enfants qui se pressaient sur mon passage, je leur trouvais des airs de fantômes. 165

Au bas de l'escalier, une noire et sale voiture grillée m'attendait. Au moment d'y monter, je regardai au hasard dans la place. – Un condamné à mort ! criaient les passants en courant vers la voiture. À travers le nuage qui me semblait s'être interposé entre les choses et moi, je distinguai deux jeunes filles qui me suivaient avec des yeux avides. – Bon, dit la plus jeune en battant des mains, ce sera dans six semaines ! 170 175

CHAPITRE III

Condamné à mort !

Eh bien, pourquoi non ? *Les hommes*, je me rappelle l'avoir lu dans je ne sais quel livre[1] où il n'y avait que cela de bon, *les hommes sont tous condamnés à mort avec des sursis indéfinis.* Qu'y a-t-il donc de si changé à ma situation ? 5

Depuis l'heure où mon arrêt m'a été prononcé, combien sont morts qui s'arrangeaient pour une longue vie ! Combien m'ont devancé qui, jeunes, libres et sains, comptaient bien aller voir tel jour tomber ma tête en place de Grève ! Combien d'ici là peut-être qui marchent et respirent au 10

---

1. **Je ne sais quel livre :** il s'agit de *Han d'Islande*, le premier roman d'Hugo, dont la citation est volontairement inexacte.

grand air, entrent et sortent à leur gré, et qui me devance-
ront encore !

Et puis, qu'est-ce que la vie a donc de si regrettable
pour moi ? En vérité, le jour sombre et le pain noir du
15 cachot, la portion de bouillon maigre puisée au baquet[1]
des galériens, être rudoyé, moi qui suis raffiné par l'éducation, être brutalisé des guichetiers et des gardes-
chiourme[2], ne pas voir un être humain qui me croie
digne d'une parole et à qui je le rende, sans cesse tres-
20 saillir et de ce que j'ai fait et de ce qu'on me fera : voilà à
peu près les seuls biens que puisse m'enlever le bourreau.

Ah, n'importe, c'est horrible !

CHAPITRE IV

LA VOITURE NOIRE me transporta ici, dans ce hideux Bicêtre.

Vu de loin, cet édifice a quelque majesté. Il se déroule à
l'horizon, au front d'une colline, et à distance garde quelque
chose de son ancienne splendeur, un air de château de
5 roi. Mais à mesure que vous approchez, le palais devient
masure. Les pignons[3] dégradés blessent l'œil. Je ne sais
quoi de honteux et d'appauvri salit ces royales façades, on
dirait que les murs ont une lèpre. Plus de vitres, plus de
glaces aux fenêtres ; mais de massifs barreaux de fer
10 entrecroisés, auxquels se colle çà et là quelque hâve[4]
figure d'un galérien ou d'un fou.

C'est la vie vue de près.

---

1. **Baquet :** récipient dans lequel était servie la nourriture collective des
galériens.
2. **Gardes-chiourme :** terme qui qualifie péjorativement les gardiens de
prison.
3. **Pignons :** parties supérieures d'un mur en forme de triangles.
4. **Hâve :** très pâle.

CHAPITRE V

À PEINE ARRIVÉ, des mains de fer s'emparèrent de moi. On multiplia les précautions ; point de couteau, point de fourchette pour mes repas, la *camisole de force*[1], une espèce de sac de toile à voilure, emprisonna mes bras ; on répondait de ma vie. Je m'étais pourvu en cassation[2]. On pouvait avoir pour six ou sept semaines cette affaire onéreuse, et il importait de me conserver sain et sauf à la place de Grève.

Les premiers jours on me traita avec une douceur qui m'était horrible. Les égards d'un guichetier sentent l'échafaud. Par bonheur, au bout de peu de jours, l'habitude reprit le dessus ; ils me confondirent avec les autres prisonniers dans une commune brutalité, et n'eurent plus de ces distinctions inaccoutumées de politesse qui me remettaient sans cesse le bourreau sous les yeux. Ce ne fut pas la seule amélioration. Ma jeunesse, ma docilité[3], les soins de l'aumônier de la prison, et surtout quelques mots en latin que j'adressai au concierge, qui ne les comprit pas, m'ouvrirent la promenade une fois par semaine avec les autres détenus, et firent disparaître la camisole où j'étais paralysé. Après bien des hésitations, on m'a aussi donné de l'encre, du papier, des plumes, et une lampe de nuit.

Tous les dimanches, après la messe, on me lâche dans le préau, à l'heure de la récréation. Là, je cause avec les détenus : il le faut bien. Ils sont bonnes gens, les misérables. Ils me content leurs *tours*, ce serait à faire horreur, mais je sais qu'ils se vantent. Ils m'apprennent à parler argot, à *rouscailler bigorne*, comme ils disent. C'est toute

---

1. *Camisole de force* : vêtement serré et muni de liens utilisé pour emprisonner une personne.
2. **Je m'étais pourvu en cassation** : j'avais fait appel du jugement.
3. **Docilité** : absence de toute violence.

une langue entée[1] sur la langue générale comme une
30 espèce d'excroissance hideuse, comme une verrue. Quelquefois une énergie singulière, un pittoresque effrayant :
il y a du raisiné sur le trimar (du sang sur le chemin),
épouser la veuve (être pendu), comme si la corde du gibet
était veuve de tous les pendus. La tête d'un voleur a deux
35 noms : *la sorbonne*, quand elle médite, raisonne et conseille
le crime ; *la tronche*, quand le bourreau la coupe. Quelquefois de l'esprit de vaudeville[2] : *un cachemire d'osier*
(une hotte de chiffonnier), *la menteuse* (la langue) ; et puis
partout, à chaque instant, des mots bizarres, mystérieux,
40 laids et sordides, venus on ne sait d'où : *le taule* (le bourreau), *la cône* (la mort), *la placarde* (la place des exécutions). On dirait des crapauds et des araignées. Quand on
entend parler cette langue, cela fait l'effet de quelque
chose de sale et de poudreux[3], d'une liasse de haillons
45 que l'on secouerait devant vous.

Du moins, ces hommes-là me plaignent, ils sont les
seuls. Les geôliers, les guichetiers, les porte-clefs[4] – je ne
leur en veux pas – causent et rient, et parlent de moi,
devant moi, comme d'une chose.

---

1. **Entée :** greffée.
2. **Vaudeville :** comédie de mœurs d'un ton léger.
3. **Poudreux :** poussiéreux.
4. **Porte-clefs :** gardiens chargés de porter les clés.

CHAPITRE VI

ᘁ

JE ME SUIS DIT :

– Puisque j'ai le moyen d'écrire, pourquoi ne le ferais-je pas ? Mais quoi écrire ? Pris entre quatre murailles de pierre nue et froide, sans liberté pour mes pas, sans horizon pour mes yeux, pour unique distraction machinalement occupé tout le jour à suivre la marche lente de ce carré blanchâtre que le judas[1] de ma porte découpe vis-à-vis sur le mur sombre, et, comme je le disais tout à l'heure, seul à seul avec une idée, une idée de crime et de châtiment, de meurtre et de mort ! Est-ce que je puis avoir quelque chose à dire, moi qui n'ai plus rien à faire dans ce monde ? Et que trouverai-je dans ce cerveau flétri[2] et vide qui vaille la peine d'être écrit ?

Pourquoi non ? Si tout, autour de moi, est monotone et décoloré, n'y a-t-il pas en moi une tempête, une lutte, une tragédie ? Cette idée fixe qui me possède ne se présente-t-elle pas à moi à chaque heure, à chaque instant, sous une nouvelle forme, toujours plus hideuse et plus ensanglantée à mesure que le terme approche ? Pourquoi n'essaierais-je pas de me dire à moi-même tout ce que j'éprouve de violent et d'inconnu dans la situation abandonnée où me voilà ? Certes, la matière est riche[3] ; et, si abrégée que soit ma vie, il y aura bien encore dans les angoisses, dans les terreurs, dans les tortures qui la rempliront, de cette heure à la dernière, de quoi user cette plume et tarir cet encrier. – D'ailleurs, ces angoisses, le seul moyen d'en moins souffrir, c'est de les observer, et les peindre m'en distraira.

---

1. **Judas :** trou placé dans une porte servant à observer sans être vu.

2. **Flétri :** se dit d'une fleur ayant perdu sa fraîcheur.

3. **La matière est riche :** comprendre « le sujet est vaste ».

Et puis, ce que j'écrirai ainsi ne sera peut-être pas inu-
30   tile. Ce journal de mes souffrances, heure par heure,
minute par minute, supplice par supplice, si j'ai la force de
le mener jusqu'au moment où il me sera *physiquement*
impossible de continuer, cette histoire, nécessairement
inachevée, mais aussi complète que possible, de mes sensa-
35   tions, ne portera-t-elle point avec elle un grand et profond
enseignement ? N'y aura-t-il pas dans ce procès-verbal de
la pensée agonisante, dans cette progression toujours
croissante de douleurs, dans cette espèce d'autopsie intellectuelle d'un condamné, plus d'une leçon pour ceux qui
40   condamnent ? Peut-être cette lecture leur rendra-t-elle la
main moins légère, quand il s'agira quelque autre fois de
jeter une tête qui pense, une tête d'homme, dans ce qu'ils
appellent la balance de la justice ? Peut-être n'ont-ils
jamais réfléchi, les malheureux, à cette lente succession
45   de tortures que renferme la formule expéditive d'un arrêt
de mort ? Se sont-ils jamais seulement arrêtés à cette idée
poignante que dans l'homme qu'ils retranchent il y a une
intelligence ; une intelligence qui avait compté sur la vie,
une âme qui ne s'est point disposée pour la mort ? Non.
50   Ils ne voient dans tout cela que la chute verticale d'un
couteau triangulaire, et pensent sans doute que pour le
condamné il n'y a rien avant, rien après.

Ces feuilles les détromperont. Publiées peut-être un
jour, elles arrêteront quelques moments leur esprit sur les
55   souffrances de l'esprit ; car ce sont celles-là qu'ils ne soup-
çonnent pas. Ils sont triomphants de pouvoir tuer sans
presque faire souffrir le corps. Hé ! c'est bien de cela qu'il
s'agit ! Qu'est-ce que la douleur physique près de la douleur morale ! Horreur et pitié, des lois faites ainsi ! Un jour
60   viendra, et peut-être ces mémoires, derniers confidents
d'un misérable, y auront-ils contribué...

À moins qu'après ma mort le vent ne joue dans le préau
avec ces morceaux de papier souillés de boue, ou qu'ils
n'aillent pourrir à la pluie, collés en étoiles à la vitre cas-
65   sée d'un guichetier.

CHAPITRE VII

QUE CE QUE J'ÉCRIS ICI puisse être un jour utile à d'autres, que cela arrête le juge prêt à juger, que cela sauve des malheureux, innocents ou coupables, de l'agonie à laquelle je suis condamné, pourquoi ? À quoi bon ? Qu'importe ? Quand ma tête aura été coupée, qu'est-ce que cela me fait qu'on en coupe d'autres ? Est-ce que vraiment j'ai pu penser ces folies ? Jeter bas l'échafaud après que j'y aurai monté ! Je vous demande un peu ce qui m'en reviendra[1].

Quoi ! le soleil, le printemps, les champs pleins de fleurs, les oiseaux qui s'éveillent le matin, les nuages, les arbres, la nature, la liberté, la vie, tout cela n'est plus à moi !

Ah ! c'est moi qu'il faudrait sauver ! – Est-il bien vrai que cela ne se peut, qu'il faudra mourir demain, aujourd'hui peut-être, que cela est ainsi ? Ô Dieu ! l'horrible idée à se briser la tête au mur de son cachot !

---

1. **Ce qui m'en reviendra :** comprendre « ce que cela me rapportera ».

CHAPITRE VIII

COMPTONS ce qui me reste :

Trois jours de délai après l'arrêt prononcé pour le pourvoi en cassation.

Huit jours d'oubli au parquet de la cour d'assises, après quoi les *pièces*, comme ils disent, sont envoyées au ministre.

Quinze jours d'attente chez le ministre, qui ne sait seulement pas qu'elles existent, et qui cependant est supposé les transmettre, après examen, à la cour de cassation.

Là, classement, numérotage, enregistrement ; car la guillotine est encombrée, et chacun ne doit passer qu'à son tour.

Quinze jours pour veiller à ce qu'il ne vous soit pas fait de passe-droit[1].

Enfin la cour s'assemble, d'ordinaire, un jeudi, rejette vingt pourvois en masse, et renvoie le tout au ministre, qui renvoie au procureur général, qui renvoie au bourreau. Trois jours.

Le matin du quatrième jour, le substitut du procureur général se dit, en mettant sa cravate : – Il faut pourtant que cette affaire finisse. – Alors, si le substitut du greffier n'a pas quelque déjeuner d'amis qui l'en empêche, l'ordre d'exécution est minuté, rédigé, mis au net, expédié, et le lendemain dès l'aube on entend dans la place de Grève clouer une charpente, et dans les carrefours hurler à pleine voix des crieurs[2] enroués.

En tout six semaines. La petite fille avait raison.

Or, voilà cinq semaines au moins, six peut-être, je n'ose compter, que je suis dans ce cabanon de Bicêtre, et il me semble qu'il y a trois jours c'était jeudi.

---

1. **Passe-droit :** faveur illégale.
2. **Crieurs :** personnes chargées d'annoncer dans les rues en criant les exécutions publiques.

CHAPITRE IX

Je viens de faire mon testament.

À quoi bon ? Je suis condamné aux frais, et tout ce que j'ai y suffira à peine. La guillotine, c'est fort cher.

Je laisse une mère, je laisse une femme, je laisse un enfant.

Une petite fille de trois ans, douce, rose, frêle, avec de grands yeux noirs et de longs cheveux châtains.

Elle avait deux ans et un mois quand je l'ai vue pour la dernière fois.

Ainsi, après ma mort, trois femmes, sans fils, sans mari, sans père ; trois orphelines de différente espèce ; trois veuves du fait de la loi.

J'admets que je sois justement puni ; ces innocentes, qu'ont-elles fait ? N'importe ; on les déshonore, on les ruine. C'est la justice.

Ce n'est pas que ma pauvre vieille mère m'inquiète ; elle a soixante-quatre ans, elle mourra du coup. Ou si elle va quelques jours encore, pourvu que jusqu'au dernier moment elle ait un peu de cendre chaude dans sa chaufferette[1], elle ne dira rien.

Ma femme ne m'inquiète pas non plus ; elle est déjà d'une mauvaise santé et d'un esprit faible. Elle mourra aussi.

À moins qu'elle ne devienne folle. On dit que cela fait vivre ; mais, du moins, l'intelligence ne souffre pas ; elle dort, elle est comme morte.

 Mais ma fille, mon enfant, ma pauvre petite Marie, qui rit, qui joue, qui chante à cette heure et ne pense à rien, c'est celle-là qui me fait mal !

---

1. **Chaufferette :** sorte de petite boîte où l'on place de la braise pour se chauffer les pieds.

CHAPITRE X

Voici ce que c'est que mon cachot :

Huit pieds carrés[1]. Quatre murailles de pierre de taille[2] qui s'appuient à angle droit sur un pavé de dalles exhaussé d'un degré[3] au-dessus du corridor extérieur.

5 À droite de la porte, en entrant, une espèce d'enfoncement qui fait la dérision d'une alcôve[4]. On y jette une botte de paille où le prisonnier est censé reposer et dormir, vêtu d'un pantalon de toile et d'une veste de coutil[5], hiver comme été.

10 Au-dessus de ma tête, en guise de ciel, une noire voûte en *ogive* – c'est ainsi que cela s'appelle – à laquelle d'épaisses toiles d'araignée pendent comme des haillons.

Du reste, pas de fenêtres, pas même de soupirail. Une porte où le fer cache le bois.

15 Je me trompe ; au centre de la porte, vers le haut, une ouverture de neuf pouces carrés[6], coupée d'une grille en croix, et que le guichetier peut fermer la nuit.

Au-dehors, un assez long corridor éclairé, aéré au moyen de soupiraux étroits au haut du mur et divisé en 20 compartiments de maçonnerie qui communiquent entre eux par une série de portes cintrées[7] et basses ; chacun de ces compartiments sert en quelque sorte d'antichambre[8] à un cachot pareil au mien. C'est dans ces cachots que l'on met les forçats condamnés par le directeur de la

---

1. **Huit pieds carrés :** 2,64 m^2 (un pied fait environ 33 cm).
2. **Pierre de taille :** blocs de pierre grossièrement taillés.
3. **Un degré :** une marche.
4. **Alcôve :** renfoncement d'une pièce où est installé un lit.
5. **Coutil :** tissu de toile, en général en lin.
6. **Neuf pouces carrés :** 27 cm^2 (un pouce équivaut à environ 3 cm).
7. **Cintrées :** ayant la forme d'un arc de cercle.
8. **Antichambre :** pièce d'entrée d'un appartement.

prison à des peines de discipline. Les trois premiers caba- 25
nons sont réservés aux condamnés à mort, parce qu'étant
plus voisins de la geôle ils sont plus commodes pour le
geôlier.

Ces cachots sont tout ce qui reste de l'ancien château
de Bicêtre tel qu'il fut bâti dans le quinzième siècle par le
cardinal de Winchester, le même qui fit brûler Jeanne 30
d'Arc. J'ai entendu dire cela à des *curieux* qui sont venus
me voir l'autre jour dans ma loge, et qui me regardaient à
distance comme une bête de la ménagerie. Le guichetier a
eu cent sous.

J'oubliais de dire qu'il y a nuit et jour un factionnaire [1] 35
de garde à la porte de mon cachot, et que mes yeux ne
peuvent se lever vers la lucarne carrée sans rencontrer ses
deux yeux fixes toujours ouverts.

Du reste, on suppose qu'il y a de l'air et du jour dans
cette boîte de pierre. 40

CHAPITRE XI

PUISQUE le jour ne paraît pas encore, que faire de la nuit ?
Il m'est venu une idée. Je me suis levé et j'ai promené ma
lampe sur les quatre murs de ma cellule. Ils sont couverts
d'écritures, de dessins, de figures bizarres, de noms qui se
mêlent et s'effacent les uns les autres. Il semble que chaque 5
condamné ait voulu laisser trace, ici du moins. C'est du
crayon, de la craie, du charbon, des lettres noires, blan-
ches, grises, souvent de profondes entailles dans la pierre,
çà et là des caractères rouillés qu'on dirait écrits avec du
sang. Certes, si j'avais l'esprit plus libre, je prendrais inté- 10
rêt à ce livre étrange qui se développe page à page à mes
yeux sur chaque pierre de ce cachot. J'aimerais à recom-

---

1. **Factionnaire :** surveillant.

poser un tout de ces fragments de pensée, épars sur la dalle ; à retrouver chaque homme sous chaque nom ; à
15 rendre le sens et la vie à ces inscriptions mutilées, à ces phrases démembrées, à ces mots tronqués, corps sans tête comme ceux qui les ont écrits.

À la hauteur de mon chevet, il y a deux cœurs enflammés, percés d'une flèche, et au-dessus : *Amour pour la vie.*
20 Le malheureux ne prenait pas un long engagement.

À côté, une espèce de chapeau à trois cornes avec une petite figure grossièrement dessinée au-dessous, et ces mots : *Vive l'empereur*[1]*! 1824.*

Encore des cœurs enflammés, avec cette inscription,
25 caractéristique dans une prison : *J'aime et j'adore Mathieu Danvin.* JACQUES.

Sur le mur opposé on lit ce nom : *Papavoine*[2]. Le *P* majuscule est brodé d'arabesques et enjolivé avec soin.

Un couplet d'une chanson obscène.

30 Un bonnet de liberté sculpté assez profondément dans la pierre, avec ceci dessous : – *Bories*[3]. – *La République.* C'était un des quatre sous-officiers de La Rochelle. Pauvre jeune homme ! Que leurs prétendues nécessités politiques sont hideuses ! Pour une idée, pour une rêverie, pour une
35 abstraction, cette horrible réalité qu'on appelle la guillotine ! Et moi qui me plaignais, moi, misérable qui ai commis un véritable crime, qui ai versé du sang !

Je n'irai pas plus loin dans ma recherche. – Je viens de voir, crayonnée en blanc au coin du mur, une image
40 épouvantable, la figure de cet échafaud qui, à l'heure qu'il est, se dresse peut-être pour moi. – La lampe a failli me tomber des mains.

---

1. **L'empereur :** Napoléon Ier. L'inscription est ironique, car Napoléon est mort en 1821.
2. ***Papavoine :*** tueur d'enfants exécuté en 1825.
3. **Bories :** l'un des quatre sergents de La Rochelle.

CHAPITRE XII

JE SUIS REVENU m'asseoir précipitamment sur ma paille, la tête dans les genoux. Puis mon effroi d'enfant s'est dissipé, et une étrange curiosité m'a repris de continuer la lecture de mon mur.

À côté du nom de Papavoine j'ai arraché une énorme toile d'araignée, tout épaissie par la poussière et tendue à l'angle de la muraille. Sous cette toile il y avait quatre ou cinq noms parfaitement lisibles, parmi d'autres dont il ne reste rien qu'une tache sur le mur. – DAUTUN[1], 1815. – POULAIN[2], 1818. – JEAN MARTIN[3], 1821. – CASTAING[4], 1823. J'ai lu ces noms, et de lugubres souvenirs me sont venus : Dautun, celui qui a coupé son frère en quartiers, et qui allait la nuit dans Paris jetant la tête dans une fontaine et le tronc dans un égout ; Poulain, celui qui a assassiné sa femme ; Jean Martin, celui qui a tiré un coup de pistolet à son père au moment où le vieillard ouvrait une fenêtre ; Castaing, ce médecin qui a empoisonné son ami, et qui, le soignant dans cette dernière maladie qu'il lui avait faite, au lieu de remède lui redonnait du poison ; et auprès de ceux-là, Papavoine, l'horrible fou qui tuait les enfants à coups de couteau sur la tête !

Voilà, me disais-je, et un frisson de fièvre me montait dans les reins, voilà quels ont été avant moi les hôtes de cette cellule. C'est ici, sur la même dalle où je suis, qu'ils ont pensé leurs dernières pensées, ces hommes de meurtre et de sang ! C'est autour de ce mur dans ce carré étroit, que leurs der-

---

1. **Dautun** : assassin fratricide, exécuté en 1815.
2. **Poulain** : condamné exécuté en 1817 pour une tentative de meurtre.
3. **Martin** : Pierre-Louis Martin (et non « Jean »), exécuté en 1820 pour avoir tiré sur son père.
4. **Castaing** : condamné à mort pour un double meurtre et exécuté en 1823.

niers pas ont tourné comme ceux d'une bête fauve. Ils se
sont succédé à de courts intervalles ; il paraît que ce cachot
ne désemplit pas. Ils ont laissé la place chaude, et c'est à moi
30 qu'ils l'ont laissée. J'irai à mon tour les rejoindre au cimetière
de Clamart, où l'herbe pousse si bien !

Je ne suis ni visionnaire[1], ni superstitieux. Il est probable
que ces idées me donnaient un accès de fièvre ; mais pendant que je rêvais ainsi, il m'a semblé tout à coup que ces
35 noms fatals étaient écrits avec du feu sur le mur noir ; un
tintement de plus en plus précipité a éclaté dans mes
oreilles ; une lueur rousse a rempli mes yeux ; et puis il m'a
paru que le cachot était plein d'hommes, d'hommes étran-
ges qui portaient leur tête dans leur main gauche, et la por-
40 taient par la bouche, parce qu'il n'y avait pas de chevelure.
Tous me montraient le poing, excepté le parricide[2].

J'ai fermé les yeux avec horreur, alors j'ai tout vu plus
distinctement.

Rêve, vision ou réalité, je serais devenu fou, si une
45 impression brusque ne m'eût réveillé à temps. J'étais près
de tomber à la renverse lorsque j'ai senti se traîner sur
mon pied nu un ventre froid et des pattes velues ; c'était
l'araignée que j'avais dérangée et qui s'enfuyait.

Cela m'a dépossédé[3]. – Ô les épouvantables spectres ! –
50 Non, c'était une fumée, une imagination de mon cerveau
vide et convulsif. Chimère à la Macbeth[4] ! Les morts sont
morts, ceux-là surtout. Ils sont bien cadenassés dans le
sépulcre[5]. Ce n'est pas là une prison dont on s'évade.
Comment se fait-il donc que j'aie eu peur ainsi ?
55 La porte du tombeau ne s'ouvre pas en dedans.

---

1. **Visionnaire :** ici, « qui a des idées extravagantes ».
2. **Excepté le parricide :** les parricides avaient traditionnellement le
poing coupé avant leur exécution.
3. **Dépossédé :** rendu fou.
4. **Macbeth :** personnage principal de la tragédie de Shakespeare du
même nom, dont l'imagination est hantée par la vision de spectres.
5. **Sépulcre :** tombeau.

CHAPITRE XIII

J'AI VU, ces jours passés, une chose hideuse.

Il était à peine jour, et la prison était pleine de bruit. On entendait ouvrir et fermer les lourdes portes, grincer les verrous et les cadenas de fer, carillonner les trousseaux de clefs entrechoqués à la ceinture des geôliers, trembler les escaliers du haut en bas sous des pas précipités, et des voix s'appeler et se répondre des deux bouts des longs corridors. Mes voisins de cachot, les forçats en punition, étaient plus gais qu'à l'ordinaire. Tout Bicêtre semblait rire, chanter, courir danser.

Moi, seul muet dans ce vacarme, seul immobile dans ce tumulte, étonné et attentif, j'écoutais.

Un geôlier passa.

Je me hasardai à l'appeler et à lui demander si c'était fête dans la prison.

– Fête si l'on veut ! me répondit-il. C'est aujourd'hui qu'on ferre les forçats qui doivent partir demain pour Toulon. Voulez-vous voir, cela vous amusera.

C'était en effet, pour un reclus[1] solitaire, une bonne fortune qu'un spectacle, si odieux qu'il fût. J'acceptai l'amusement.

Le guichetier prit les précautions d'usage pour s'assurer de moi, puis me conduisit dans une petite cellule vide, et absolument démeublée, qui avait une fenêtre grillée, mais une véritable fenêtre à hauteur d'appui, et à travers laquelle on apercevait réellement le ciel.

– Tenez, me dit-il, d'ici vous verrez et vous entendrez. Vous serez seul dans votre loge comme le roi.

Puis il sortit et referma sur moi serrures, cadenas et verrous.

---

1. **Reclus :** qui vit isolé.

Chapitre XIII

La fenêtre donnait sur une cour carrée assez vaste, et autour de laquelle s'élevait des quatre côtés, comme une muraille, un grand bâtiment de pierre de taille à six étages. Rien de plus dégradé, de plus nu, de plus misérable à l'œil
35 que cette quadruple façade percée d'une multitude de fenêtres grillées auxquelles se tenaient collés, du bas en haut, une foule de visages maigres et blêmes, pressés les uns au-dessus des autres, comme les pierres d'un mur et tous pour ainsi dire encadrés dans les entrecroisements des barreaux
40 de fer. C'étaient les prisonniers, spectateurs de la cérémonie en attendant leur jour d'être acteurs. On eût dit des âmes en peine aux soupiraux du purgatoire qui donnent sur l'enfer.

Tous regardaient en silence la cour vide encore. Ils attendaient. Parmi ces figures éteintes et mornes, çà et là
45 brillaient quelques yeux perçants et vifs comme des points de feu.

Le carré de prisons qui enveloppe la cour ne se referme pas sur lui-même. Un des quatre pans de l'édifice (celui qui regarde le levant[1]) est coupé vers son milieu, et ne se ratta-
50 che au pan voisin que par une grille de fer. Cette grille s'ouvre sur une seconde cour, plus petite que la première, et, comme elle, bloquée de murs et de pignons noirâtres.

Tout autour de la cour principale, des bancs de pierre s'adossent à la muraille. Au milieu se dresse une tige de
55 fer courbée, destinée à porter une lanterne.

Midi sonna. Une grande porte cochère[2], cachée sous un enfoncement, s'ouvrit brusquement. Une charrette, escortée d'espèces de soldats sales et honteux, en uniformes bleus, à épaulettes rouges et à bandoulières[3] jaunes, entra lour-
60 dement dans la cour avec un bruit de ferraille. C'était la chiourme[4] et les chaînes.

---

1. **Le levant :** l'est.
2. **Porte cochère :** porte destinée aux voitures.
3. **Bandoulières :** bandes que les soldats portaient pour y suspendre armes et munitions.
4. **La chiourme :** les forçats.

Au même instant, comme si ce bruit réveillait tout le bruit de la prison, les spectateurs des fenêtres, jusqu'alors silencieux et immobiles, éclatèrent en cris de joie, en chansons, en menaces, en imprécations[1] mêlées d'éclats de rire poignants à entendre. On eût cru voir des masques de démons. Sur chaque visage parut une grimace, tous les poings sortirent des barreaux, toutes les voix hurlèrent, tous les yeux flamboyèrent, et je fus épouvanté de voir tant d'étincelles reparaître dans cette cendre.

Cependant les argousins[2], parmi lesquels on distinguait, à leurs vêtements propres et à leur effroi, quelques curieux venus de Paris, les argousins se mirent tranquillement à leur besogne. L'un d'eux monta sur la charrette, et jeta à ses camarades les chaînes, les colliers de voyage, et les liasses de pantalons de toile. Alors ils se dépecèrent le travail[3] ; les uns allèrent étendre dans un coin de la cour les longues chaînes qu'ils nommaient dans leur argot *les ficelles* ; les autres déployèrent sur le pavé *les taffetas*[4], les chemises et les pantalons ; tandis que les plus sagaces examinaient un à un, sous l'œil de leur capitaine, petit vieillard trapu, les carcans[5] de fer qu'ils éprouvaient ensuite en les faisant étinceler sur le pavé. Le tout aux acclamations railleuses[6] des prisonniers, dont la voix n'était dominée que par les rires bruyants des forçats pour qui cela se préparait, et qu'on voyait relégués aux croisées de la vieille prison qui donne sur la petite cour.

Quand ces apprêts furent terminés, un monsieur brodé en argent, qu'on appelait *monsieur l'inspecteur* donna un ordre au *directeur* de la prison ; et un moment après, voilà

---

1. **Imprécations** : protestations, malédictions.
2. **Argousins** : surveillants, gardiens de prison (argot).
3. **Ils se dépecèrent le travail** : ils se partagèrent le travail à la façon de fauves.
4. **Taffetas** : tissus de soie légers et en général de grande valeur (le terme est utilisé ici ironiquement).
5. **Carcans** : colliers de fer servant à attacher les condamnés.
6. **Railleuses** : moqueuses.

90 que deux ou trois portes basses vomirent presque en
même temps, et comme par bouffées, dans la cour, des
nuées d'hommes hideux, hurlants et déguenillés. C'étaient
les forçats.

À leur entrée, redoublement de joie aux fenêtres.
95 Quelques-uns d'entre eux, les grands noms du bagne,
furent salués d'acclamations et d'applaudissements qu'ils
recevaient avec une sorte de modestie fière. La plupart
avaient des espèces de chapeaux tressés de leurs propres
mains avec la paille du cachot, et toujours d'une forme
100 étrange, afin que dans les villes où l'on passerait le chapeau fît remarquer la tête. Ceux-là étaient plus applaudis
encore. Un, surtout, excita des transports d'enthousiasme :
un jeune homme de dix-sept ans, qui avait un visage de
jeune fille. Il sortait du cachot, où il était au secret depuis
105 huit jours ; de sa botte de paille il s'était fait un vêtement
qui l'enveloppait de la tête aux pieds, et il entra dans la
cour en faisant la roue sur lui-même avec l'agilité d'un
serpent. C'était un baladin[1] condamné pour vol. Il y eut
une rage de battements de mains et de cris de joie. Les
110 galériens y répondaient, et c'était une chose effrayante
que cet échange de gaietés entre les forçats en titre et les
forçats aspirants. La société avait beau être là, représentée
par les geôliers et les curieux épouvantés, le crime la
narguait en face, et de ce châtiment horrible faisait une
115 fête de famille.

À mesure qu'ils arrivaient, on les poussait, entre deux
haies de gardes-chiourme, dans la petite cour grillée, où
la visite des médecins les attendait. C'est là que tous ten-
taient un dernier effort pour éviter le voyage, alléguant
120 quelque excuse de santé, les yeux malades, la jambe boi-
teuse, la main mutilée. Mais presque toujours on les trouvait bons pour le bagne ; et alors chacun se résignait avec
insouciance, oubliant en peu de minutes sa prétendue
infirmité de toute la vie.

---

1. **Baladin :** saltimbanque, comédien des rues.

La grille de la petite cour se rouvrit. Un gardien fit 125
l'appel par ordre alphabétique ; et alors ils sortirent un à
un, et chaque forçat s'alla ranger debout dans un coin de
la grande cour, près d'un compagnon donné par le hasard
de sa lettre initiale. Ainsi chacun se voit réduit à lui-
même ; chacun porte sa chaîne pour soi, côte à côte avec 130
un inconnu ; et si par hasard un forçat a un ami, la chaîne
l'en sépare. Dernière des misères !

Quand il y en eut à peu près une trentaine de sortis, on
referma la grille. Un argousin les aligna avec son bâton,
jeta devant chacun d'eux une chemise, une veste et un 135
pantalon de grosse toile, puis fit un signe, et tous com-
mencèrent à se déshabiller. Un incident inattendu vint,
comme à point nommé, changer cette humiliation en
torture.

Jusqu'alors le temps avait été assez beau, et, si la bise 140
d'octobre refroidissait l'air, de temps en temps aussi elle
ouvrait çà et là dans les brumes grises du ciel une cre-
vasse par où tombait un rayon de soleil. Mais à peine les
forçats se furent-ils dépouillés de leurs haillons de prison,
au moment où ils s'offraient nus et debout à la visite 145
soupçonneuse des gardiens, et aux regards curieux des
étrangers qui tournaient autour d'eux pour examiner
leurs épaules, le ciel devint noir, une froide averse
d'automne éclata brusquement, et se déchargea à torrents
dans la cour carrée, sur les têtes découvertes, sur les 150
membres nus des galériens, sur leurs misérables sayons [1]
étalés sur le pavé.

En un clin d'œil le préau se vida de tout ce qui n'était
pas argousin ou galérien. Les curieux de Paris allèrent
s'abriter sous les auvents des portes. 155

Cependant la pluie tombait à flots. On ne voyait plus
dans la cour que les forçats nus et ruisselants sur le pavé
noyé. Un silence morne avait succédé à leurs bruyantes

---

1. **Sayons :** espèces de casaques ouvertes, portées autrefois par les
anciens guerriers et par les paysans.

bravades. Ils grelottaient, leurs dents claquaient : leurs
160 jambes maigries, leurs genoux noueux s'entre-choquaient ;
et c'était pitié de les voir appliquer sur leurs membres
bleus ces chemises trempées, ces vestes, ces pantalons
dégouttant de pluie. La nudité eût été meilleure.

Un seul, un vieux, avait conservé quelque gaieté. Il
165 s'écria, en s'essuyant avec sa chemise mouillée, que *cela
n'était pas dans le programme* ; puis se prit à rire en montrant le poing au ciel.

Quand ils eurent revêtu les habits de route, on les
mena par bandes de vingt ou trente à l'autre coin du
170 préau, où les cordons allongés à terre les attendaient. Ces
cordons sont de longues et fortes chaînes coupées trans-
versalement de deux en deux pieds par d'autres chaînes
plus courtes, à l'extrémité desquelles se rattache un carcan carré, qui s'ouvre au moyen d'une charnière prati-
175 quée à l'un des angles et se ferme à l'angle opposé par un
boulon de fer rivé pour tout le voyage sur le cou du galérien. Quand ces cordons sont développés à terre, ils figurent
assez bien la grande arête d'un poisson.

On fit asseoir les galériens dans la boue, sur les pavés
180 inondés ; on leur essaya les colliers ; puis deux forgerons de
la chiourme, armés d'enclumes portatives, les leur rivèrent à
froid à grands coups de masses de fer. C'est un moment
affreux, où les plus hardis pâlissent. Chaque coup de marteau, assené sur l'enclume appuyée à leur dos, fait rebondir
185 le menton du patient ; le moindre mouvement d'avant en
arrière lui ferait sauter le crâne comme une coquille de noix.

Après cette opération, ils devinrent sombres. On n'entendait plus que le grelottement des chaînes, et par intervalles
un cri et le bruit sourd du bâton des gardes-chiourme sur
190 les membres des récalcitrants. Il y en eut qui pleurèrent ;
les vieux frissonnaient et se mordaient les lèvres. Je regardai avec terreur tous ces profils sinistres dans leurs cadres
de fer.

Ainsi, après la visite des médecins, la visite des geôliers ;
195 après la visite des geôliers, le ferrage. Trois actes à ce
spectacle.

Un rayon de soleil reparut. On eût dit qu'il mettait le feu à tous ces cerveaux. Les forçats se levèrent à la fois, comme par un mouvement convulsif. Les cinq cordons se rattachèrent par les mains, et tout à coup se formèrent en ronde immense autour de la branche de la lanterne. Ils tournaient à fatiguer les yeux. Ils chantaient une chanson du bagne, une romance[1] d'argot, sur un air tantôt plaintif, tantôt furieux et gai ; on entendait par intervalles des cris grêles, des éclats de rire déchirés et haletants se mêler aux mystérieuses paroles ; puis des acclamations furibondes ; et les chaînes qui s'entrechoquaient en cadence servaient d'orchestre à ce chant plus rauque que leur bruit. Si je cherchais une image du sabbat[2], je ne la voudrais ni meilleure ni pire.

On apporta dans le préau un large baquet. Les gardes-chiourme rompirent la danse des forçats à coups de bâton, et les conduisirent à ce baquet dans lequel on voyait nager je ne sais quelles herbes dans je ne sais quel liquide fumant et sale. Ils mangèrent.

Puis, ayant mangé, ils jetèrent sur le pavé ce qui restait de leur soupe et de leur pain bis, et se remirent à danser et à chanter. Il paraît qu'on leur laisse cette liberté le jour du ferrage et la nuit qui le suit.

J'observais ce spectacle étrange avec une curiosité si avide, si palpitante, si attentive, que je m'étais oublié moi-même. Un profond sentiment de pitié me remuait jusqu'aux entrailles, et leurs rires me faisaient pleurer.

Tout à coup, à travers la rêverie profonde où j'étais tombé, je vis la ronde hurlante s'arrêter et se taire. Puis tous les yeux se tournèrent vers la fenêtre que j'occupais. – Le condamné ! le condamné ! crièrent-ils tous en me montrant du doigt ; et les explosions de joie redoublèrent.

Je restai pétrifié.

---

1. **Romance** : récit simple et naïf, écrit en vers et destiné à être chanté.
2. **Sabbat** : dans les croyances médiévales, réunion de sorciers et de sorcières célébrant le diable.

230   J'ignore d'où ils me connaissaient et comment ils
m'avaient reconnu.

– Bonjour ! bonsoir ! me crièrent-ils avec leur ricane-
ment atroce. Un des plus jeunes, condamné aux galères
perpétuelles, face luisante et plombée, me regarda d'un
235   air d'envie en disant : – Il est heureux ! Il sera *rogné*[1] !
Adieu, camarade !

Je ne puis dire ce qui se passait en moi. J'étais leur
camarade en effet. La Grève est sœur de Toulon[2]. J'étais
même placé plus bas qu'eux : ils me faisaient honneur. Je
240   frissonnai.

Oui, leur camarade ! Et quelques jours plus tard, j'aurais
pu aussi, moi, être un spectacle pour eux.

J'étais demeuré à la fenêtre, immobile, perclus, paralysé.
Mais quand je vis les cinq cordons s'avancer se ruer vers
245   moi avec des paroles d'une infernale cordialité ; quand
j'entendis le tumultueux fracas de leurs chaînes, de leurs
clameurs, de leurs pas, au pied du mur, il me sembla que
cette nuée de démons escaladait ma misérable cellule ; je
poussai un cri, je me jetai sur la porte d'une violence à la
250   briser ; mais pas moyen de fuir. Les verrous étaient tirés
en dehors. Je heurtai, j'appelai avec rage. Puis il me sembla entendre de plus près encore les effrayantes voix des
forçats. Je crus voir leurs têtes hideuses paraître déjà au
bord de ma fenêtre, je poussai un second cri d'angoisse, et
255   je tombai évanoui.

---

1. ***Rogné*** : exécuté (argot).
2. **La Grève est sœur de Toulon** : comprendre « les condamnés à mort
sont les frères des bagnards ».

CHAPITRE XIV

QUAND je revins à moi, il était nuit. J'étais couché dans un grabat[1] ; une lanterne qui vacillait au plafond me fit voir d'autres grabats alignés des deux côtés du mien. Je compris qu'on m'avait transporté à l'infirmerie.

Je restai quelques instants éveillé, mais sans pensée et 5 sans souvenir, tout entier au bonheur d'être dans un lit. Certes, en d'autres temps, ce lit d'hôpital et de prison m'eût fait reculer de dégoût et de pitié ; mais je n'étais plus le même homme. Les draps étaient gris et rudes au toucher, la couverture maigre et trouée ; on sentait la 10 paillasse à travers le matelas ; qu'importe ! mes membres pouvaient se déroidir[2] à l'aise entre ces draps grossiers ; sous cette couverture, si mince qu'elle fût, je sentais se dissiper peu à peu cet horrible froid de la moelle des os dont j'avais pris l'habitude. – Je me rendormis. 15

Un grand bruit me réveilla ; il faisait petit jour. Ce bruit venait du dehors ; mon lit était à côté de la fenêtre, je me levai sur mon séant pour voir ce que c'était.

La fenêtre donnait sur la grande cour de Bicêtre. Cette cour était pleine de monde ; deux haies de vétérans[3] 20 avaient peine à maintenir libre, au milieu de cette foule, un étroit chemin qui traversait la cour. Entre ce double rang de soldats cheminaient lentement, cahotées à chaque pavé, cinq longues charrettes chargées d'hommes ; c'étaient les forçats qui partaient. 25

Ces charrettes étaient découvertes. Chaque cordon en occupait une. Les forçats étaient assis de côté sur chacun des bords, adossés les uns aux autres, séparés par la chaîne commune, qui se développait dans la longueur du

---

1. **Grabat :** mauvais lit.
2. **Se déroidir :** se détendre.
3. **Vétérans :** militaires expérimentés.

30 chariot, et sur l'extrémité de laquelle un argousin debout, fusil chargé, tenait le pied. On entendait bruire [1] leurs fers, et, à chaque secousse de la voiture, on voyait sauter leurs têtes et ballotter leurs jambes pendantes.

Une pluie fine et pénétrante glaçait l'air, et collait sur
35 leurs genoux leurs pantalons de toile, de gris devenus noirs. Leurs longues barbes, leurs cheveux courts, ruisselaient ; leurs visages étaient violets ; on les voyait grelotter, et leurs dents grinçaient de rage et de froid. Du reste, pas de mouvements possibles. Une fois rivé à cette
40 chaîne, on n'est plus qu'une fraction de ce tout hideux qu'on appelle le cordon, et qui se meut comme un seul homme. L'intelligence doit abdiquer [2], le carcan du bagne la condamne à mort ; et quant à l'animal lui-même, il ne doit plus avoir de besoins et d'appétits qu'à heures fixes.
45 Ainsi, immobiles, la plupart demi-nus, têtes découvertes et pieds pendants, ils commençaient leur voyage de vingt-cinq jours, chargés sur les mêmes charrettes, vêtus des mêmes vêtements pour le soleil à plomb de juillet [3] et pour les froides pluies de novembre. On dirait que les
50 hommes veulent mettre le ciel de moitié dans leur office de bourreaux.

Il s'était établi entre la foule et les charrettes je ne sais quel horrible dialogue : injures d'un côté, bravades de l'autre, imprécations des deux parts ; mais, à un signe du
55 capitaine, je vis les coups de bâton pleuvoir au hasard dans les charrettes, sur les épaules ou sur les têtes, et tout rentra dans cette espèce de calme extérieur qu'on appelle l'*ordre*. Mais les yeux étaient pleins de vengeance, et les poings des misérables se crispaient sur leurs genoux.
60 Les cinq charrettes, escortées de gendarmes à cheval et d'argousins à pied, disparurent successivement sous la haute porte cintrée de Bicêtre ; une sixième les suivit,

---

1. **Bruire :** murmurer.
2. **Abdiquer :** abandonner.
3. **Soleil à plomb :** « soleil de plomb », c'est-à-dire soleil brûlant.

dans laquelle ballottaient pêle-mêle les chaudières, les gamelles de cuivre et les chaînes de rechange. Quelques gardes-chiourme qui s'étaient attardés à la cantine sortirent 65 en courant pour rejoindre leur escouade [1]. La foule s'écoula. Tout ce spectacle s'évanouit comme une fantasmagorie. On entendit s'affaiblir par degrés dans l'air le bruit lourd des roues et des pieds des chevaux sur la route pavée de Fontainebleau, le claquement des fouets, le cliquetis des 70 chaînes, et les hurlements du peuple qui souhaitait malheur au voyage des galériens.

Et c'est là pour eux le commencement !

Que me disait-il donc, l'avocat ? Les galères ! Ah ! oui, plutôt mille fois la mort ! Plutôt l'échafaud que le bagne, 75 plutôt le néant que l'enfer ; plutôt livrer mon cou au couteau de Guillotin qu'au carcan de la chiourme ! Les galères, juste ciel !

CHAPITRE XV

MALHEUREUSEMENT je n'étais pas malade. Le lendemain il fallut sortir de l'infirmerie. Le cachot me reprit.

Pas malade ! en effet, je suis jeune, sain et fort. Le sang coule librement dans mes veines ; tous mes membres obéissent à tous mes caprices ; je suis robuste de corps et 5 d'esprit, constitué pour une longue vie : oui, tout cela est vrai ; et cependant j'ai une maladie, une maladie mortelle, une maladie faite de la main des hommes.

Depuis que je suis sorti de l'infirmerie, il m'est venu une idée poignante, une idée à me rendre fou, c'est que 10 j'aurais peut-être pu m'évader si l'on m'y avait laissé. Ces médecins, ces sœurs de charité, semblaient prendre intérêt à moi. Mourir si jeune et d'une telle mort ! On eût dit

---

1. **Escouade :** groupe de soldats.

qu'ils me plaignaient, tant ils étaient empressés autour de
15 mon chevet. Bah ! curiosité ! Et puis, ces gens qui guérissent vous guérissent bien d'une fièvre, mais non d'une
sentence de mort. Et pourtant cela leur serait si facile !
une porte ouverte ! Qu'est-ce que cela leur ferait ?

Plus de chance maintenant ! Mon pourvoi sera rejeté,
20 parce que tout est en règle ; les témoins ont bien témoi-
gné, les plaideurs ont bien plaidé, les juges ont bien jugé.
Je n'y compte pas, à moins que... Non, folie ! plus d'espérance ! Le pourvoi, c'est une corde qui vous tient suspendu au-dessus de l'abîme, et qu'on entend craquer à
25 chaque instant, jusqu'à ce qu'elle se casse. C'est comme si
le couteau de la guillotine mettait six semaines à tomber.

Si j'avais ma grâce ? – Avoir ma grâce ! Et par qui ? et
pourquoi ? et comment ? Il est impossible qu'on me fasse
grâce. L'exemple ! comme ils disent.
30 Je n'ai plus que trois pas à faire : Bicêtre, la Conciergerie[1],
la Grève.

CHAPITRE XVI

PENDANT le peu d'heures que j'ai passées à l'infirmerie, je
m'étais assis près d'une fenêtre, au soleil, il avait reparu –
ou du moins recevant du soleil tout ce que les grilles de
la croisée m'en laissaient.
5 J'étais là, ma tête pesante et embrassée dans mes deux
mains, qui en avaient plus qu'elles n'en pouvaient porter,
mes coudes sur mes genoux, les pieds sur les barreaux de
ma chaise, car l'abattement fait que je me courbe et me
replie sur moi-même comme si je n'avais plus ni os dans
10 les membres ni muscles dans la chair.

---

1. **Conciergerie :** prison parisienne dans le Palais de justice, face à la
Seine.

L'odeur étouffée de la prison me suffoquait plus que jamais, j'avais encore dans l'oreille tout ce bruit de chaînes des galériens, j'éprouvais une grande lassitude de Bicêtre. Il me semblait que le bon Dieu devrait bien avoir pitié de moi et m'envoyer au moins un petit oiseau pour chanter là, en face, au bord du toit.

Je ne sais si ce fut le bon Dieu ou le démon qui m'exauça ; mais presque au même moment j'entendis s'élever sous ma fenêtre une voix, non celle d'un oiseau, mais bien mieux : la voix pure, fraîche, veloutée d'une jeune fille de quinze ans. Je levai la tête comme en sursaut, j'écoutai avidement la chanson qu'elle chantait. C'était un air lent et langoureux, une espèce de roucoulement triste et lamentable ; voici les paroles :

C'est dans la rue du Mail
Où j'ai été coltigé[1],
Maluré[2],
Par trois coquins de railles[3],
Lirlonfa malurette[4],
Sur mes sique'[5] ont foncé,
Lirlonfa maluré.

Je ne saurais dire combien fut amer mon désappointement. La voix continua :

Sur mes sique' ont foncé,
Maluré.
Ils m'ont mis la tartouve[6],
Lirlonfa malurette,

---

1. **Coltigé** : arrêté. Le mot est argotique, comme tout le vocabulaire de la chanson. Hugo commente l'argot des prisonniers dans *Les Misérables*, IV, 7, 3.
2. **Maluré** : expression de plainte, équivalant à « malheur ! ».
3. **Railles** : policiers.
4. **Lirlonfa malurette** : autre déploration argotique de prisonnier.
5. **Sur mes sique'** : sur moi.
6. **La tartouve** : les menottes.

Grand Meudon est aboulé[1],
Lirlonfa maluré.
40 *Dans mon trimin[2] rencontre,*
Lirlonfa malurette,
Un peigre[3] du quartier
Lirlonfa maluré.

Un peigre du quartier Maluré.
45 *– Va-t'en dire à ma largue[4],*
Lirlonfa malurette,
Que je suis enfourraillé[5],
Lirlonfa maluré.
Ma largue tout en colère,
50 *Lirlonfa malurette,*
M'dit : Qu'as-tu donc morfillé[6] ?
Lirlonfa maluré.

M'dit : Qu'as-tu donc morfillé ?
Maluré.
55 *– J'ai fait suer un chêne[7],*
Lirlonfa malurette,
Son auberg j'ai enganté[8],
Lirlonfa maluré,
Son auberg et sa toquante[9],
60 *Lirlonfa malurette,*
Et ses attach's de cés[10],
Lirlonfa maluré.

---

1. **Grand Meudon est aboulé** : le policier est arrivé.
2. **Trimin** : rue.
3. **Un peigre** : un truand.
4. **Ma largue** : ma femme.
5. **Enfourraillé** : emprisonné.
6. **Morfillé** : avoué.
7. **Fait suer un chêne** : assassiné un homme.
8. **Son auberg j'ai enganté** : « son argent, j'ai volé ».
9. **Toquante** : montre.
10. **Attach's de cés** : ses boucles d'argent.

Et ses attach's de cés,
Maluré. –
Ma largu'part pour Versailles,   65
Lirlonfa malurette,
Aux pieds d'sa majesté,
Lirlonfa maluré.
Elle lui fonce un babillard[1],
Lirlonfa malurette,   70
Pour m'faire défourrailler
Lirlonfa maluré.

Pour m'faire défourrailler,
Maluré.
– Ah ! si j'en défourraille,   75
Lirlonfa malurette,
Ma largue j'entiferai[2],
Lirlonfa maluré.
J'li ferai porter fontange[3],
Lirlonfa malurette,   80
Et souliers galuchés,
Lirlonfa maluré.

Et souliers galuchés[4],
Maluré.
Mais grand dabe[5] qui s'fâche,   85
Lirlonfa malurette,
Dit : – Par mon caloquet[6],
Lirlonfa maluré,
J'li ferai danser une danse,

---

1. **Elle lui fonce un babillard :** elle le supplie.
2. **Entiferai :** habillerai.
3. **Fontange :** nœud de rubans que les femmes portaient sur leur coiffure à l'époque de Louis XIV.
4. **Galuchés :** décorés.
5. **Grand dabe :** le roi.
6. **Caloquet :** couronne.

90 *Lirlonfa malurette,*
Où il ni a pas de plancher
Lirlonfa maluré. –

Je n'en ai pas entendu et n'aurais pu en entendre
davantage. Le sens à demi compris et à demi caché de
95 cette horrible complainte, cette lutte du brigand avec le
guet, ce voleur qu'il rencontre et qu'il dépêche à sa
femme, cet épouvantable message : j'ai assassiné un homme
et je suis arrêté, *j'ai fait suer un chêne et je suis enfour-*
raillé ; cette femme qui court à Versailles avec un placet,
100 et cette *Majesté* qui s'indigne et menace le coupable de lui
faire danser *la danse où il ni a pas de plancher* ; et tout
cela chanté sur l'air le plus doux et par la plus douce voix
qui ait jamais endormi l'oreille humaine !... J'en suis resté
navré, glacé, anéanti. C'était une chose repoussante que
105 toutes ces monstrueuses paroles sortant de cette bouche
vermeille et fraîche. On eût dit la bave d'une limace sur
une rose.

Je ne saurais rendre ce que j'éprouvais ; j'étais à la fois
blessé et caressé. Le patois de la caverne et du bagne,
cette langue ensanglantée et grotesque, ce hideux argot
110 marié à une voix de jeune fille, gracieuse transition de la
voix d'enfant à la voix de femme ! Tous ces mots difformes
et mal faits, chantés, cadencés, perlés !

Ah ! qu'une prison est quelque chose d'infâme ! Il y a
un venin qui y salit tout. Tout s'y flétrit, même la chanson
115 d'une fille de quinze ans ! Vous y trouvez un oiseau, il a
de la boue sur son aile ; vous y cueillez une jolie fleur,
vous la respirez : elle pue.

CHAPITRE XVII

OH ! si je m'évadais, comme je courrais à travers champs !

Non, il ne faudrait pas courir. Cela fait regarder et soupçonner. Au contraire, marcher lentement, tête levée, en chantant. Tâcher d'avoir quelque vieux sarrau[1] bleu à dessins rouges. Cela déguise bien. Tous les maraîchers des environs en portent.

Je sais auprès d'Arcueil[2] un fourré d'arbres à côté d'un marais, où, étant au collège, je venais avec mes camarades pêcher des grenouilles tous les jeudis. C'est là que je me cacherais jusqu'au soir.

La nuit tombée, je reprendrais ma course. J'irais à Vincennes. Non, la rivière m'empêcherait. J'irais à Arpajon[3]. – Il aurait mieux valu prendre du côté de Saint-Germain, et aller au Havre, et m'embarquer pour l'Angleterre. – N'importe ! j'arrive à Longjumeau[4]. Un gendarme passe : il me demande mon passeport... Je suis perdu !

Ah ! malheureux rêveur, brise donc d'abord le mur épais de trois pieds qui t'emprisonne ! La mort ! La mort !

Quand je pense que je suis venu tout enfant, ici, à Bicêtre, voir le grand puits et les fous !

---

1. **Sarrau :** tablier de travail.
2. **Arcueil :** ville située dans la banlieue sud de Paris.
3. **Arpajon :** ville située au sud de Paris, dans la vallée de l'Orge.
4. **Longjumeau :** autre ville au sud de Paris, où était situé un important relais de poste.

Clefs d'analyse

Chapitres I à XVII : du procès à la prison.

Compréhension

L'univers pénitentiaire

- Énumérer les prisons et les catégories de prisonniers.
- Donner des exemples de détails réalistes permettant au lecteur de se représenter la vie quotidienne du narrateur.

Une parodie de justice

- Relever les traits satiriques dans la peinture du tribunal (II).

Une ombre parmi les ombres

- Rassembler les informations sur le passé du prisonnier.
- Détailler les différents personnages qui entourent le condamné, et déterminer lesquels jouent un rôle positif à son égard.

Réflexion

Le baptême carcéral

- Montrer en quoi la description de la scène du « ferrage de forçats » joue un rôle fondateur dans le roman.

Témoigner ou/et mourir

- Déterminer pourquoi le narrateur se met à écrire.

L'imaginaire de la prison

- Analyser la description de la prison et sa dimension fantastique.

La psychologie des profondeurs

- Interpréter la figure de l'araignée (XII).
- Relever les signes de souffrance psychologique du narrateur.

À retenir :

S'ouvrant sur l'énoncé du verdict, la première partie du roman relate les débuts de la vie carcérale du narrateur et se poursuit par « l'autopsie intellectuelle d'un condamné », soit l'analyse des conséquences psychologiques de la condamnation et de l'enfermement : méditations sur l'injustice de sa peine, sentiments d'abandon, rêves d'évasion. C'est la partie la plus documentaire : Hugo dépeint le cadre de vie, le langage et les événements rythmant le quotidien des prisonniers.

2ᵉ part. du roman

1ère peintres du Remera

Synthèse
Chapitres I à XVII : du procès à la prison.

Le récit d'une descente aux enfers

Personnages

La descente aux enfers du narrateur

La première partie du roman s'attache à peindre la brutale transformation d'un jeune homme de bonne famille en marginal rejeté par la société. Le portrait psychologique est animé par de puissants contrastes entre le passé du héros et sa situation présente, ainsi que par une opposition très appuyée entre sa jeunesse et sa force, et la mort à très brève échéance qui est son unique horizon. Étranger au monde des bagnards et des forçats, le narrateur apparaît aussi parfois comme étranger à lui-même. Ses premières rencontres avec d'autres forçats qui le saluent en lui disant « Adieu camarade » (chapitre XIII), sa confrontation avec la culture des prisonniers, sa découverte des noms des condamnés l'ayant précédé vers la mort (XI et XII) représentent les étapes d'une sorte de récit initiatique, à la fois pour le lecteur et pour le narrateur lui-même.

Langage

L'argot des prisonniers

C'est avec beaucoup d'insistance qu'Hugo a tenu à retranscrire l'argot des prisonniers, au point de faire suivre le roman du fac-similé d'une chanson de prisonnier et de proposer plusieurs longs exemples de discours argotiques accompagnés de commentaires. Quel rôle possèdent de tels passages dans un roman qui est, par ailleurs, la chronique de la souffrance intérieure d'un jeune homme éduqué ? En premier lieu, la retranscription de l'argot fait partie des « effets de réel » par lesquels Hugo souligne le caractère exact de sa peinture du système carcéral. En second lieu, l'écrivain nous plonge dans l'univers de la vie des bagnards et des prisonniers en nous faisant « entendre » les sonorités de leurs voix. Enfin, ce poète du peuple est sans doute fasciné par les inventions linguistiques, parfois proches de la poésie, de l'argot des bagnards, auxquelles il cherche en quelque sorte à rendre hommage.

Société

Le système pénitentiaire

Pour le dépeindre, Hugo s'appuie à la fois sur ses souvenirs personnels et sur les enquêtes de Charles Lucas dans son ouvrage intitulé *Du système pénal et du système répressif en général. De la peine de mort en particulier*, paru en 1827. Il en fait un tableau sans concession, et son roman est autant un plaidoyer contre la peine de mort qu'une dénonciation du bagne et des travaux forcés. L'auteur évoque ainsi avec beaucoup de précision les différents moments de la procédure pénale, note avec soin les détails de l'architecture des prisons et de leurs différents espaces, accorde son attention aux réalités précises des mesures de surveillance et de punition des détenus. Nous sommes renseignés sur leurs vêtements, leurs lits et leurs conditions de vie, aucun aspect, même celui des odeurs, n'étant passé sous silence.

À ces aspects factuels s'ajoute une analyse sociologique des prisonniers, dont témoigne notamment le dessin de leurs différentes réactions au moment de leur « ferrage ». Un double constat émerge : premièrement, le système social n'a pas pour but la souffrance des prisonniers, mais il les détruit psychologiquement par une coupable indifférence à leur devenir et à leur individualité. Deuxièmement, le monde de la prison, quant à lui, constitue une microsociété, par les habitudes linguistiques et les rituels qui réunissent les prisonniers. Mais celle-ci se borne à une addition d'individus qui ne sont en rien solidaires entre eux ; leur seul point commun est d'être les victimes de l'injustice sociale.

CHAPITRE XVIII

PENDANT que j'écrivais tout ceci, ma lampe a pâli, le jour est venu, l'horloge de la chapelle a sonné six heures. –

Qu'est-ce que cela veut dire ? Le guichetier de garde vient d'entrer dans mon cachot, il a ôté sa casquette, m'a salué, s'est excusé de me déranger, et m'a demandé, en   5 adoucissant de son mieux sa rude voix, ce que je désirais à déjeuner ?...

Il m'a pris un frisson. – Est-ce que ce serait pour aujourd'hui ?

CHAPITRE XIX

C'EST POUR AUJOURD'HUI !

Le directeur de la prison lui-même vient de me rendre visite. Il m'a demandé en quoi il pourrait m'être agréable ou utile, a exprimé le désir que je n'eusse pas à me plaindre de lui ou de ses subordonnés, s'est informé avec intérêt   5 de ma santé et de la façon dont j'avais passé la nuit ; en me quittant, il m'a appelé *monsieur* !

C'est pour aujourd'hui !

CHAPITRE XX

IL NE CROIT PAS, ce geôlier, que j'aie à me plaindre de lui et de ses sous-geôliers. Il a raison. Ce serait mal à moi de me plaindre ; ils ont fait leur métier, ils m'ont bien gardé ; et puis ils ont été polis à l'arrivée et au départ. Ne dois-je
5 pas être content ?

Ce bon geôlier, avec son sourire bénin, ses paroles caressantes, son œil qui flatte et qui espionne, ses grosses et larges mains, c'est la prison incarnée, c'est Bicêtre qui s'est fait homme. Tout est prison autour de moi ; je retrouve la
10 prison sous toutes les formes, sous la forme humaine comme sous la forme de grille ou de verrou. Ce mur, c'est de la prison en pierre ; cette porte, c'est de la prison en bois ; ces guichetiers, c'est de la prison en chair et en os. La prison est une espèce d'être horrible complet, indivisible,
15 moitié maison, moitié homme. Je suis sa proie ; elle me couve, elle m'enlace de tous ses replis. Elle m'enferme dans ses murailles de granit, me cadenasse sous ses serrures de fer, et me surveille avec ses yeux de geôlier.

Ah ! misérable ! Que vais-je devenir ? Qu'est-ce qu'ils
20 vont faire de moi ?

CHAPITRE XXI

JE SUIS CALME maintenant. Tout est fini, bien fini. Je suis sorti de l'horrible anxiété où m'avait jeté la visite du directeur. Car, je l'avoue, j'espérais encore.

– Maintenant, Dieu merci, je n'espère plus.
5 Voici ce qui vient de se passer :

Au moment où six heures et demie sonnaient, – non, c'était l'avant-quart, – la porte de mon cachot s'est rouverte. Un vieillard à tête blanche, vêtu d'une redingote brune, est entré. Il a entrouvert sa redingote. J'ai vu une soutane, un rabat. C'était un prêtre.

Ce prêtre n'était pas l'aumônier de la prison. Cela était sinistre.

Il s'est assis en face de moi avec un sourire bienveillant ; puis a secoué la tête et levé les yeux au ciel, c'est-à-dire à la voûte du cachot. Je l'ai compris.

– Mon fils, m'a-t-il dit, êtes-vous préparé ?

Je lui ai répondu d'une voix faible :

– Je ne suis pas préparé, mais je suis prêt.

Cependant ma vue s'est troublée, une sueur glacée est sortie à la fois de tous mes membres, j'ai senti mes tempes se gonfler, et j'avais les oreilles pleines de bourdonnements.

Pendant que je vacillais sur ma chaise comme endormi, le bon vieillard parlait. C'est du moins ce qu'il m'a semblé, et je crois me souvenir que j'ai vu ses lèvres remuer, ses mains s'agiter, ses yeux reluire.

La porte s'est rouverte une seconde fois. Le bruit des verrous nous a arrachés, moi à ma stupeur, lui à son discours. Une espèce de monsieur en habit noir, accompagné du directeur de la prison, s'est présenté, et m'a salué profondément. Cet homme avait sur le visage quelque chose de la tristesse officielle des employés des pompes funèbres. Il tenait un rouleau de papier à la main.

– Monsieur, m'a-t-il dit avec un sourire de courtoisie, je suis huissier près[1] la cour royale de Paris. J'ai l'honneur de vous apporter un message de la part de monsieur le procureur général.

La première secousse était passée. Toute ma présence d'esprit m'était revenue.

– C'est monsieur le procureur général, lui ai-je répondu, qui a demandé si instamment ma tête ? Bien de l'honneur

---

1. **Près** : auprès de.

pour moi qu'il m'écrive. J'espère que ma mort lui va faire grand plaisir ? car il me serait dur de penser qu'il l'a sollicitée avec tant d'ardeur et qu'elle lui était indifférente.

J'ai dit tout cela, et j'ai repris d'une voix ferme :

45 — Lisez, monsieur !

Il s'est mis à me lire un long texte, en chantant à la fin de chaque ligne et en hésitant au milieu de chaque mot. C'était le rejet de mon pourvoi.

— L'arrêt sera exécuté aujourd'hui en place de Grève,
50 a-t-il ajouté quand il a eu terminé, sans lever les yeux de dessus son papier timbré. Nous partons à sept heures et demie précises pour la Conciergerie. Mon cher monsieur, aurez-vous l'extrême bonté de me suivre ?

Depuis quelques instants je ne l'écoutais plus. Le direc-
55 teur causait avec le prêtre ; lui, avait l'œil fixé sur son papier ; je regardais la porte, qui était restée entrouverte...

— Ah ! misérable ! quatre fusiliers[1] dans le corridor !

L'huissier a répété sa question, en me regardant cette fois.

60 — Quand vous voudrez, lui ai-je répondu. À votre aise !

Il m'a salué en disant :

— J'aurai l'honneur de venir vous chercher dans une demi-heure.

Alors ils m'ont laissé seul.

65 Un moyen de fuir, mon Dieu ! un moyen quelconque ! Il faut que je m'évade ! Il le faut ! sur-le-champ ! par les portes, par les fenêtres, par la charpente du toit ! quand même je devrais laisser de ma chair après les poutres !

Ô rage ! démons ! malédiction ! Il faudrait des mois
70 pour percer ce mur avec de bons outils, et je n'ai ni un clou, ni une heure !

---

1. **Fusiliers** : soldats armés de fusils.

CHAPITRE XXII

De la Conciergerie.

ME VOICI *transféré*, comme dit le procès-verbal.

Mais le voyage vaut la peine d'être conté.

Sept heures et demie sonnaient lorsque l'huissier s'est présenté de nouveau au seuil de mon cachot. – Monsieur, m'a-t-il dit, je vous attends. – Hélas ! lui et d'autres !

Je me suis levé, j'ai fait un pas ; il m'a semblé que je n'en pourrais faire un second, tant ma tête était lourde et mes jambes faibles. Cependant je me suis remis et j'ai continué d'une allure assez ferme. Avant de sortir du cabanon, j'y ai promené un dernier coup d'œil. – Je l'aimais, mon cachot. – Puis, je l'ai laissé vide et ouvert ; ce qui donne à un cachot un air singulier.

Au reste, il ne le sera pas longtemps. Ce soir on y attend quelqu'un, disaient les porte-clefs, un condamné que la cour d'assises est en train de faire à l'heure qu'il est[1].

Au détour du corridor, l'aumônier nous a rejoints. Il venait de déjeuner.

Au sortir de la geôle, le directeur m'a pris affectueusement la main, et a renforcé mon escorte de quatre vétérans.

Devant la porte de l'infirmerie, un vieillard moribond m'a crié : Au revoir !

Nous sommes arrivés dans la cour. J'ai respiré ; cela m'a fait du bien.

Nous n'avons pas marché longtemps à l'air. Une voiture attelée de chevaux de poste stationnait dans la première cour ; c'est la même voiture qui m'avait amené ; une espèce de cabriolet oblong[2], divisé en deux sections par

---

1. **Un condamné [...] à l'heure qu'il est** : comprendre « un inculpé que la cour d'assises est en train de condamner ».

2. **Cabriolet oblong** : voiture légère à cheval et à deux roues, de forme allongée.

une grille transversale de fil de fer si épaisse qu'on la
30   dirait tricotée. Les deux sections ont chacune une porte,
l'une devant, l'autre derrière la carriole. Le tout si sale, si
noir, si poudreux, que le corbillard des pauvres est un
carrosse du sacre en comparaison.

Avant de m'ensevelir dans cette tombe à deux roues,
35   j'ai jeté un regard dans la cour, un de ces regards déses-
pérés devant lesquels il semble que les murs devraient
crouler. La cour, espèce de petite place plantée d'arbres,
était plus encombrée encore de spectateurs que pour les
galériens. Déjà la foule !
40   Comme le jour du départ de la chaîne, il tombait une
pluie de la saison, une pluie fine et glacée qui tombe
encore à l'heure où j'écris, qui tombera sans doute toute
la journée, qui durera plus que moi.

Les chemins étaient effondrés, la cour pleine de fange et
45   d'eau. J'ai eu plaisir à voir cette foule dans cette boue.

Nous sommes montés, l'huissier et un gendarme, dans le
compartiment de devant ; le prêtre, moi et un gendarme
dans l'autre. Quatre gendarmes à cheval autour de la voiture. Ainsi, sans le postillon[1], huit hommes pour un homme.
50   Pendant que je montais, il y avait une vieille aux yeux
gris qui disait : – J'aime encore mieux cela que la chaîne.

Je conçois. C'est un spectacle qu'on embrasse plus aisément d'un coup d'œil, c'est plus tôt vu. C'est tout aussi
beau et plus commode. Rien ne vous distrait. Il n'y a qu'un
55   homme, et sur cet homme seul autant de misère que sur
tous les forçats à la fois. Seulement cela est moins épar-
pillé ; c'est une liqueur concentrée, bien plus savoureuse.

La voiture s'est ébranlée. Elle a fait un bruit sourd en passant sous la voûte de la grande porte, puis a débouché dans
60   l'avenue, et les lourds battants de Bicêtre se sont refermés
derrière elle. Je me sentais emporté avec stupeur, comme
un homme tombé en léthargie qui ne peut ni remuer ni
crier et qui entend qu'on l'enterre. J'écoutais vaguement les

---

1. **Postillon** : conducteur d'une voiture à cheval.

paquets de sonnettes pendus au cou des chevaux de poste
sonner en cadence et comme par hoquets, les roues ferrées
bruire sur le pavé ou cogner la caisse en changeant
d'ornière, le galop sonore des gendarmes autour de la carriole, le fouet claquant du postillon. Tout cela me semblait
comme un tourbillon qui m'emportait.

À travers le grillage d'un judas percé en face de moi,
mes yeux s'étaient fixés machinalement sur l'inscription
gravée en grosses lettres au-dessus de la grande porte de
Bicêtre : HOSPICE DE LA VIEILLESSE[1].

– Tiens, me disais-je, il paraît qu'il y a des gens qui
vieillissent, là.

Et, comme on fait entre la veille et le sommeil, je retour-
nais cette idée en tous sens dans mon esprit engourdi de
douleur. Tout à coup la carriole, en passant de l'avenue
dans la grande route, a changé le point de vue de la
lucarne. Les tours de Notre-Dame sont venues s'y enca-
drer bleues et à demi effacées dans la brume de Paris. Sur-
le-champ le point de vue de mon esprit a changé aussi.
J'étais devenu machine comme la voiture. À l'idée de
Bicêtre a succédé l'idée des tours de Notre-Dame. – Ceux
qui seront sur la tour où est le drapeau verront bien[2], me
suis-je dit en souriant stupidement !

Je crois que c'est à ce moment-là que le prêtre s'est
remis à me parler. Je l'ai laissé dire patiemment. J'avais
déjà dans l'oreille le bruit des roues, le galop des chevaux,
le fouet du postillon. C'était un bruit de plus.

J'écoutais en silence cette chute de paroles monotones
qui assoupissaient ma pensée comme le murmure d'une
fontaine, et qui passaient devant moi, toujours diverses

---

1. **HOSPICE DE LA VIEILLESSE :** la prison de Bicêtre était à l'origine
   un hôpital pour les personnes âgées.
2. **Ceux qui seront [...] verront bien :** comprendre : « verront bien mon
   exécution sur la place de Grève depuis le haut des tours de Notre-
   Dame ». À l'époque où est achevé *Le Dernier Jour d'un condamné*, Hugo
   a déjà commencé à travailler sur son roman *Notre-Dame de Paris*.

et toujours les mêmes, comme les ormeaux tortus[1] de la
95 grande route, lorsque la voix brève et saccadée de l'huissier,
placé sur le devant, est venue subitement me secouer.

– Eh bien ! monsieur l'abbé, disait-il avec un accent
presque gai, qu'est-ce que vous savez de nouveau ?

C'est vers le prêtre qu'il se retournait en parlant ainsi.
100 L'aumônier, qui me parlait sans relâche, et que la voiture assourdissait, n'a pas répondu.

– Hé ! hé ! a repris l'huissier en haussant la voix pour
avoir le dessus sur le bruit des roues ; infernale voiture !

Infernale ! En effet.
105 Il a continué :

– Sans doute, c'est le cahot ; on ne s'entend pas. Qu'est-
ce que je voulais donc dire ? Faites-moi le plaisir de
m'apprendre ce que je voulais dire, monsieur l'abbé ! – Ah !
savez-vous la grande nouvelle de Paris, aujourd'hui ?
110 J'ai tressailli, comme s'il parlait de moi.

– Non, a dit le prêtre, qui avait enfin entendu, je n'ai
pas eu le temps de lire les journaux ce matin. Je verrai
cela ce soir. Quand je suis occupé comme cela toute la
journée, je recommande au portier de me garder mes
115 journaux, et je les lis en rentrant.

– Bah ! a repris l'huissier, il est impossible que vous ne
sachiez pas cela. La nouvelle de Paris ! la nouvelle de ce
matin !

J'ai pris la parole : – Je crois la savoir.
120 L'huissier m'a regardé.

– Vous ! vraiment ! En ce cas, qu'en dites-vous ?

– Vous êtes curieux ! lui ai-je dit.

– Pourquoi, monsieur ? a répliqué l'huissier. Chacun a
son opinion politique. Je vous estime trop pour croire que
125 vous n'avez pas la vôtre. Quant à moi, je suis tout à fait
d'avis du rétablissement de la garde nationale[2]. J'étais
sergent de ma compagnie, et, ma foi, c'était fort agréable.

Je l'ai interrompu.

---

1. **Tortus :** qui ne sont pas droits, tordus.
2. **Garde nationale :** troupe de citoyens recrutés dans la bourgeoisie,
   destinée à renforcer la police et l'armée, dont le rétablissement fut
   discuté par la Chambre le 14 juillet 1828.

– Je ne croyais pas que ce fût de cela qu'il s'agissait.

– Et de quoi donc ? Vous disiez savoir la nouvelle... 130

– Je parlais d'une autre, dont Paris s'occupe aussi aujourd'hui.

L'imbécile n'a pas compris ; sa curiosité s'est éveillée.

– Une autre nouvelle ? Où diable avez-vous pu apprendre des nouvelles ? Laquelle, de grâce, mon cher mon- 135 sieur ? Savez-vous ce que c'est, monsieur l'abbé ? Êtes-vous plus au courant que moi ? Mettez-moi au fait, je vous prie. De quoi s'agit-il ? – Voyez-vous, j'aime les nouvelles. Je les conte à monsieur le président, et cela l'amuse. 140

Et mille billevesées[1]. Il se tournait tour à tour vers le prêtre et vers moi, et je ne répondais qu'en haussant les épaules.

– Eh bien ! m'a-t-il dit, à quoi pensez-vous donc ?

– Je pense, ai-je répondu, que je ne penserai plus ce soir. 145

– Ah ! c'est cela ! a-t-il répliqué. Allons, vous êtes trop triste ! M. Castaing causait.

Puis, après un silence :

– J'ai conduit M. Papavoine ; il avait sa casquette de loutre et fumait son cigare. Quant aux jeunes gens de La 150 Rochelle[2], ils ne parlaient qu'entre eux. Mais ils parlaient.

Il a fait encore une pause, et a poursuivi :

– Des fous ! des enthousiastes ! Ils avaient l'air de mépriser tout le monde. Pour ce qui est de vous, je vous trouve vraiment bien pensif, jeune homme. 155

– Jeune homme ! lui ai-je dit, je suis plus vieux que vous ; chaque quart d'heure qui s'écoule me vieillit d'une année.

Il s'est retourné, m'a regardé quelques minutes avec un étonnement inepte, puis s'est mis à ricaner lourdement. 160

– Allons, vous voulez rire, plus vieux que moi ! Je serais votre grand-père.

---

1. **Billevesées :** propos frivoles, sans intérêt.
2. **Jeunes gens de La Rochelle :** les quatre sergents de La Rochelle.

– Je ne veux pas rire, lui ai-je répondu gravement.

Il a ouvert sa tabatière.

165 – Tenez, cher monsieur, ne vous fâchez pas ; une prise de tabac, et ne me gardez pas rancune.

– N'ayez pas peur ; je n'aurai pas longtemps à vous la garder.

En ce moment, sa tabatière, qu'il me tendait, a rencon-170 tré le grillage qui nous séparait. Un cahot a fait qu'elle l'a heurté assez violemment et est tombée toute ouverte sous les pieds du gendarme.

– Maudit grillage ! s'est écrié l'huissier. Il s'est tourné vers moi.

175 – Eh bien ! ne suis-je pas malheureux ? Tout mon tabac est perdu !

– Je perds plus que vous, ai-je répondu en souriant.

Il a essayé de ramasser son tabac, en grommelant entre ses dents :

180 – Plus que moi ! Cela est facile à dire. Pas de tabac jusqu'à Paris ! C'est terrible !

L'aumônier alors lui a adressé quelques paroles de conso-lation, et je ne sais si j'étais préoccupé, mais il m'a semblé que c'était la suite de l'exhortation dont j'avais eu le com-185 mencement. Peu à peu la conversation s'est engagée entre le prêtre et l'huissier ; je les ai laissés parler de leur côté, et je me suis mis à penser du mien.

En abordant la barrière[1], j'étais toujours préoccupé sans doute, mais Paris m'a paru faire un plus grand bruit qu'à 190 l'ordinaire.

La voiture s'est arrêtée un moment devant l'octroi[2]. Les douaniers de ville l'ont inspectée. Si c'eût été un mouton ou un bœuf qu'on eût mené à la boucherie, il aurait fallu leur jeter une bourse d'argent ; mais une tête humaine ne 195 paie pas de droit. Nous avons passé.

---

1. **La barrière :** les barrières étaient à l'époque les portes de Paris.
2. **L'octroi :** bureau où l'on devait payer une taxe du même nom pour entrer dans Paris.

Le boulevard franchi, la carriole s'est enfoncée au grand trot dans ces vieilles rues tortueuses du faubourg Saint-Marceau[1] et de la Cité[2], qui serpentent et s'entrecoupent comme les mille chemins d'une fourmilière. Sur le pavé de ces rues étroites le roulement de la voiture est devenu si bruyant et si rapide que je n'entendais plus rien du bruit extérieur. Quand je jetais les yeux par la petite lucarne[3] carrée, il me semblait que le flot des passants s'arrêtait pour regarder la voiture, et que des bandes d'enfants couraient sur sa trace. Il m'a semblé aussi voir de temps en temps dans les carrefours çà et là un homme ou une vieille en haillons, quelquefois les deux ensemble, tenant en main une liasse de feuilles imprimées[4] que les passants se disputaient, en ouvrant la bouche comme pour un grand cri.

Huit heures et demie sonnaient à l'horloge du Palais[5] au moment où nous sommes arrivés dans la cour de la Conciergerie. La vue de ce grand escalier, de cette noire chapelle, de ces guichets sinistres, m'a glacé. Quand la voiture s'est arrêtée, j'ai cru que les battements de mon cœur allaient s'arrêter aussi.

J'ai recueilli mes forces ; la porte s'est ouverte avec la rapidité de l'éclair ; j'ai sauté à bas du cachot roulant, et je me suis enfoncé à grands pas sous la voûte entre deux haies de soldats. Il s'était déjà formé une foule sur mon passage.

---

1. **Faubourg Saint-Marceau :** quartier du centre de Paris, situé sur l'île de la Cité.
2. **Cité :** île de Paris où se trouve notamment la cathédrale Notre-Dame.
3. **Lucarne :** petite ouverture pratiquée dans un toit.
4. **Feuilles imprimées :** sortes de journaux où étaient annoncées les exécutions.
5. **Palais :** le Palais de justice, dont la grande horloge est restée célèbre.

CHAPITRE XXIII

Tant que j'ai marché dans les galeries publiques du Palais de Justice, je me suis senti presque libre et à l'aise ; mais toute ma résolution m'a abandonné quand on a ouvert devant moi des portes basses, des escaliers secrets,
5 des couloirs intérieurs, de longs corridors étouffés et sourds[1] où il n'entre que ceux qui condamnent ou ceux qui sont condamnés.

L'huissier m'accompagnait toujours. Le prêtre m'avait quitté pour revenir dans deux heures : il avait ses affaires.
10 On m'a conduit au cabinet du directeur entre les mains duquel l'huissier m'a remis. C'était un échange. Le directeur l'a prié d'attendre un instant, lui annonçant qu'il allait avoir du *gibier* à lui remettre, afin qu'il le conduisît sur-le-champ à Bicêtre par le retour de la carriole. Sans
15 doute le condamné d'aujourd'hui, celui qui doit coucher ce soir sur la botte de paille que je n'ai pas eu le temps d'user.

– C'est bon, a dit l'huissier au directeur, je vais attendre un moment ; nous ferons les deux procès verbaux à la
20 fois, cela s'arrange bien.

En attendant, on m'a déposé dans un petit cabinet attenant à celui du directeur. Là, on m'a laissé seul, bien verrouillé.

Je ne sais à quoi je pensais, ni depuis combien de temps
25 j'étais là, quand un brusque et violent éclat de rire à mon oreille m'a réveillé de ma rêverie.

J'ai levé les yeux en tressaillant. Je n'étais plus seul dans la cellule. Un homme s'y trouvait avec moi, un homme d'environ cinquante-cinq ans, de moyenne taille ; ridé,
30 voûté, grisonnant ; à membres trapus ; avec un regard

---

1. **Sourds :** qui étouffent les bruits.

louche dans des yeux gris, un rire amer sur le visage ;
sale, en guenilles, demi-nu, repoussant à voir.

Il paraît que la porte s'était ouverte, l'avait vomi, puis
s'était refermée sans que je m'en fusse aperçu. Si la mort
pouvait venir ainsi !   35

Nous nous sommes regardés quelques secondes fixe-
ment, l'homme et moi ; lui, prolongeant son rire qui res-
semblait à un râle ; moi, demi-étonné, demi-effrayé.

– Qui êtes-vous ? lui ai-je dit enfin.

– Drôle de demande ! a-t-il répondu. Un friauche[1].   40

– Un friauche ! Qu'est-ce que cela veut dire ?

Cette question a redoublé sa gaieté.

– Cela veut dire, s'est-il écrié au milieu d'un éclat de rire,
que le taule jouera au panier avec ma sorbonne[2] dans six
semaines, comme il va faire avec ta tronche dans six heures.   45
– Ha ! ha ! il paraît que tu comprends maintenant.

En effet, j'étais pâle, et mes cheveux se dressaient.
C'était l'autre condamné, le condamné du jour, celui
qu'on attendait à Bicêtre, mon héritier.

Il a continué :   50

– Que veux-tu ? Voilà mon histoire à moi. Je suis fils
d'un bon peigre ; c'est dommage que Charlot[3] ait pris la
peine un jour de lui attacher sa cravate. C'était quand
régnait la potence, par la grâce de Dieu. À six ans, je
n'avais plus ni père ni mère ; l'été, je faisais la roue dans la   55
poussière au bord des routes, pour qu'on me jetât un sou
par la portière des chaises de poste ; l'hiver, j'allais pieds
nus dans la boue en soufflant dans mes doigts tout rouges ; on voyait mes cuisses à travers mon pantalon. À neuf
ans, j'ai commencé à me servir de mes louches[4], de temps   60
en temps je vidais une fouillouse[5], je filais une pelure[6] ; à

---

1. **Friauche** : en argot, condamné à mort.
2. **Sorbonne** : en argot, tête.
3. **Charlot** : en argot, le bourreau.
4. **Louches** : en argot, mains.
5. **Fouillouse** : en argot, poche.
6. **Je filais une pelure** : en argot, « je volais un manteau ».

dix ans, j'étais un marlou[1]. Puis j'ai fait des connaissances ;
à dix-sept, j'étais un grinche[2]. Je forçais une boutanche[3], je
faussais une tournante[4]. On m'a pris. J'avais l'âge, on m'a
65 envoyé ramer dans la petite marine[5]. Le bagne, c'est dur ;
coucher sur une planche, boire de l'eau claire, manger du
pain noir, traîner un imbécile de boulet qui ne sert à rien ;
des coups de bâton et des coups de soleil. Avec cela on est
tondu, et moi qui avais de beaux cheveux châtains !
70 N'importe !... j'ai fait mon temps[6]. Quinze ans, cela s'arra-
che ! J'avais trente-deux ans. Un beau matin on me donna
une feuille de route[7] et soixante-six francs que je m'étais
amassés dans mes quinze ans de galères, en travaillant
seize heures par jour, trente jours par mois, et douze mois
75 par année. C'est égal, je voulais être honnête homme avec
mes soixante-six francs, et j'avais de plus beaux sentiments sous mes guenilles qu'il n'y en a sous une serpillière de ratichon[8]. Mais que les diables soient avec le
passeport ! Il était jaune[9], et on avait écrit dessus *forçat*
80 *libéré*. Il fallait montrer cela partout où je passais et le présenter tous les huit jours au maire du village où l'on me
forçait de tapiquer[10]. La belle recommandation ! un galérien ! Je faisais peur, et les petits enfants se sauvaient, et
l'on fermait les portes. Personne ne voulait me donner
85 d'ouvrage. Je mangeai mes soixante-six francs. Et puis, il
fallut vivre. Je montrai mes bras bons au travail, on ferma
les portes. J'offris ma journée pour quinze sous, pour dix
sous, pour cinq sous. Point. Que faire ? Un jour, j'avais
faim. Je donnai un coup de coude dans le carreau d'un

---

1. **Un marlou :** en argot, un voyou.
2. **Grinche :** en argot, voleur.
3. **Boutanche :** en argot, boutique.
4. **Je faussais une tournante :** en argot, « je fabriquais une fausse clé ».
5. **La petite marine :** en argot, les galères.
6. **J'ai fait mon temps :** j'ai purgé ma peine.
7. **Feuille de route :** terme militaire désignant un itinéraire à suivre.
8. **Serpillière de ratichon :** en argot, soutane d'abbé.
9. **Jaune :** c'était la couleur des passeports des forçats.
10. **Tapiquer :** en argot, habiter.

boulanger ; j'empoignai un pain, et le boulanger 90
m'empoigna ; je ne mangeai pas le pain, et j'eus les galères à perpétuité, avec trois lettres de feu sur l'épaule. –
Je te montrerai, si tu veux. – On appelle cette justice-là
la récidive. Me voilà donc cheval de retour[1]. On me
remit à Toulon ; cette fois avec les bonnets verts[2]. Il 95
fallait m'évader. Pour cela, je n'avais que trois murs à
percer, deux chaînes à couper, et j'avais un clou. Je
m'évadai. On tira le canon d'alerte ; car, nous autres,
nous sommes, comme les cardinaux de Rome, habillés
de rouge, et on tire le canon quand nous partons. Leur 100
poudre alla aux moineaux. Cette fois, pas de passeport
jaune, mais pas d'argent non plus. Je rencontrai des
camarades qui avaient aussi fait leur temps ou cassé leur
ficelle[3]. Leur coire[4] me proposa d'être des leurs, on faisait la grande soulasse sur le trimat[5]. J'acceptai, et je me 105
mis à tuer pour vivre. C'était tantôt une diligence, tantôt
une chaise de poste, tantôt un marchand de bœufs à
cheval. On prenait l'argent, on laissait aller au hasard la
bête ou la voiture, et l'on enterrait l'homme sous un
arbre, en ayant soin que les pieds ne sortissent pas ; et 110
puis on dansait sur la fosse, pour que la terre ne parût
pas fraîchement remuée. J'ai vieilli comme cela, gîtant[6]
dans les broussailles, dormant aux belles étoiles, traqué
de bois en bois, mais du moins libre et à moi. Tout a
une fin, et autant celle-là qu'une autre. Les marchands 115
de lacets[7], une belle nuit, nous ont pris au collet[8]. Mes
fanandels[9] se sont sauvés ; mais moi, le plus vieux, je suis

---

1. **Cheval de retour :** en argot, récidiviste.

2. **Les bonnets verts :** les condamnés à perpétuité.

3. **Qui avaient cassé leur ficelle :** en argot, « qui s'étaient évadés ».

4. **Coire :** en argot, chef.

5. **On faisait la grande soulasse sur le trimat :** en argot, « on assassinait sur les grands chemins ».

6. **Gîtant :** en argot, vivant.

7. **Marchands de lacets :** en argot, gendarmes.

8. **Pris au collet :** attrapés (terme de chasse).

9. **Fanandels :** en argot, camarades.

resté sous la griffe de ces chats à chapeaux galonnés[1]. On m'a amené ici. J'avais déjà passé par tous les échelons de l'échelle, excepté un. Avoir volé un mouchoir ou tué un homme, c'était tout un pour moi désormais ; il y avait encore une *récidive* à m'appliquer. Je n'avais plus qu'à passer par le faucheur[2]. Mon affaire a été courte. Ma foi, je commençais à vieillir et à n'être plus bon à rien. Mon père a épousé la veuve[3], moi je me retire à l'abbaye de Mont'-à-Regret[4]. Voilà, camarade.

J'étais resté stupide en l'écoutant. Il s'est remis à rire plus haut encore qu'en commençant, et a voulu me prendre la main. J'ai reculé avec horreur.

– L'ami, m'a-t-il dit, tu n'as pas l'air brave. Ne va pas faire le sinvre devant la carline[5]. Vois-tu, il y a un mauvais moment à passer sur la placarde[6] ; mais cela est sitôt fait ! Je voudrais être là pour te montrer la culbute[7]. Mille dieux ! j'ai envie de ne pas me pourvoir, si l'on veut me faucher[8] aujourd'hui avec toi. Le même prêtre nous servira à tous deux ; ça m'est égal d'avoir tes restes. Tu vois que je suis un bon garçon. Hein ! dis, veux-tu ? d'amitié !

Il a encore fait un pas pour s'approcher de moi.

– Monsieur, lui ai-je répondu en le repoussant, je vous remercie.

Nouveaux éclats de rire à ma réponse.

– Ah ! ah ! monsieur, vousailles[9] êtes un marquis ! C'est un marquis !

---

1. **Galonnés :** ornés de galons.
2. **Le faucheur :** en argot, le bourreau.
3. **A épousé la veuve :** en argot, a été pendu.
4. **L'abbaye de Mont'-à-Regret :** en argot, la guillotine.
5. **Faire le sinvre devant la carline :** en argot, être lâche devant la mort.
6. **La placarde :** en argot, la place de Grève.
7. **Te montrer la culbute :** comprendre « être exécuté avec toi ».
8. **Faucher :** en argot, guillotiner.
9. **Vousailles :** en argot, vous.

Je l'ai interrompu :

– Mon ami, j'ai besoin de me recueillir, laissez-moi.   145

La gravité de ma parole l'a rendu pensif tout à coup. Il a remué sa tête grise et presque chauve ; puis, creusant avec ses ongles sa poitrine velue, qui s'offrait nue sous sa chemise ouverte :

– Je comprends, a-t-il murmuré entre ses dents ; au fait,   150 le sanglier[1] !...

Puis, après quelques minutes de silence :

– Tenez, m'a-t-il dit presque timidement, vous êtes un marquis, c'est fort bien ; mais vous avez là une belle redingote[2] qui ne vous servira plus à grand-chose ! Le   155 taule la prendra. Donnez-la-moi, je la vendrai pour avoir du tabac.

J'ai ôté ma redingote et je la lui ai donnée. Il s'est mis à battre des mains avec une joie d'enfant. Puis, voyant que j'étais en chemise et que je grelottais :   160

– Vous avez froid, monsieur, mettez ceci ; il pleut, et vous seriez mouillé ; et puis il faut être décemment sur la charrette[3].

En parlant ainsi, il ôtait sa grosse veste de laine grise et la passait dans mes bras. Je le laissais faire.   165

Alors j'ai été m'appuyer contre le mur, et je ne saurais dire quel effet me faisait cet homme. Il s'était mis à examiner la redingote que je lui avais donnée, et poussait à chaque instant des cris de joie.

– Les poches sont toutes neuves ! Le collet[4] n'est pas   170 usé ! – j'en aurai au moins quinze francs[5]. – Quel bonheur ! Du tabac pour mes six semaines !

---

1. **Le sanglier :** en argot, le prêtre.
2. **Redingote :** long manteau, vêtement traditionnel des bourgeois.
3. **La charrette :** les condamnés à mort étaient amenés jusqu'à l'échafaud sur une charrette.
4. **Le collet :** le col.
5. **Quinze francs :** à l'époque, la somme correspond à plusieurs jours de travail d'un ouvrier.

La porte s'est rouverte. On venait nous chercher tous deux ; moi, pour me conduire à la chambre où les condam
175 nés attendent l'heure ; lui, pour le mener à Bicêtre. Il s'est placé en riant au milieu du piquet qui devait l'emmener, et il disait aux gendarmes :

– Ah ça ! ne vous trompez pas ; nous avons changé de pelure, monsieur et moi ; mais ne me prenez pas à sa
180 place. Diable ! cela ne m'arrangerait pas, maintenant que j'ai de quoi avoir du tabac !

CHAPITRE XXIV

CE VIEUX SCÉLÉRAT, il m'a pris ma redingote, car je ne la lui ai pas donnée, et puis il m'a laissé cette guenille, sa veste infâme. De qui vais-je avoir l'air ?

Je ne lui ai pas laissé prendre ma redingote par insou
5 ciance ou par charité. Non ; mais parce qu'il était plus fort que moi. Si j'avais refusé, il m'aurait battu avec ses gros poings.

Ah bien oui, charité ! j'étais plein de mauvais sentiments. J'aurais voulu pouvoir l'étrangler de mes mains, le
10 vieux voleur ! pouvoir le piler[1] sous mes pieds !

Je me sens le cœur plein de rage et d'amertume. Je crois que la poche au fiel a crevé. La mort rend méchant.

---

1. **Le piler :** l'écraser.

CHAPITRE XXV

ILS M'ONT AMENÉ dans une cellule où il n'y a que les quatre murs, avec beaucoup de barreaux à la fenêtre et beaucoup de verrous à la porte, cela va sans dire.

J'ai demandé une table, une chaise, et ce qu'il faut pour écrire. On m'a apporté tout cela.   5

Puis j'ai demandé un lit. Le guichetier m'a regardé de ce regard étonné qui semble dire : – À quoi bon ?

Cependant ils ont dressé un lit de sangle[1] dans le coin. Mais en même temps un gendarme est venu s'installer dans ce qu'ils appellent *ma chambre*. Est-ce qu'ils ont peur   10 que je ne m'étrangle avec le matelas ?

CHAPITRE XXVI

IL EST DIX HEURES.

Ô ma pauvre petite fille ! Encore six heures, et je serai mort ! Je serai quelque chose d'immonde qui traînera sur la table froide des amphithéâtres ; une tête qu'on moulera d'un côté, un tronc qu'on disséquera de l'autre ; puis de ce qui res-   5 tera, on en mettra plein une bière[2], et le tout ira à Clamart.

Voilà ce qu'ils vont faire de ton père, ces hommes dont aucun ne me hait, qui tous me plaignent et tous pourraient me sauver. Ils vont me tuer. Comprends-tu cela,

---

1. **Un lit de sangle :** un lit suspendu par des sangles.
2. **Une bière :** un cercueil.

10 Marie ? Me tuer de sang-froid, en cérémonie, pour le bien de la chose ! Ah ! grand Dieu !

Pauvre petite ! Ton père qui t'aimait tant, ton père qui baisait ton petit cou blanc et parfumé, qui passait la main sans cesse dans les boucles de tes cheveux comme sur de
15 la soie, qui prenait ton joli visage rond dans sa main, qui te faisait sauter sur ses genoux, et le soir joignait tes deux petites mains pour prier Dieu !

Qui est-ce qui te fera tout cela maintenant ? Qui est-ce qui t'aimera ? Tous les enfants de ton âge auront des
20 pères, excepté toi. Comment te déshabitueras-tu, mon enfant, du jour de l'an, des étrennes, des beaux joujoux, des bonbons et des baisers ? – Comment te déshabitueras-tu, malheureuse orpheline, de boire et de manger ?

Oh ! si ces jurés l'avaient vue, au moins, ma jolie petite
25 Marie ! ils auraient compris qu'il ne faut pas tuer le père d'un enfant de trois ans.

Et quand elle sera grande, si elle va jusque-là, que deviendra-t-elle ? Son père sera un des souvenirs du peuple de Paris. Elle rougira de moi et de mon nom ; elle sera
30 méprisée, repoussée, vile à cause de moi, de moi qui l'aime de toutes les tendresses de mon cœur. Ô ma petite Marie bien-aimée ! Est-il bien vrai que tu auras honte et horreur de moi ?

Misérable ! quel crime j'ai commis, et quel crime je fais
35 commettre à la société !

Oh ! est-il bien vrai que je vais mourir avant la fin du jour ? Est-il bien vrai que c'est moi ? Ce bruit sourd de cris que j'entends au-dehors, ce flot de peuple joyeux qui déjà se hâte sur les quais, ces gendarmes qui s'apprêtent
40 dans leurs casernes, ce prêtre en robe noire, cet autre homme aux mains rouges, c'est pour moi ! C'est moi qui vais mourir ! Moi, le même qui est ici, qui vit, qui se meut, qui respire, qui est assis à cette table, laquelle ressemble à une autre table, et pourrait aussi bien être ailleurs ; moi,
45 enfin, ce moi que je touche et que je sens, et dont le vêtement fait les plis que voilà !

CHAPITRE XXVII

ENCORE si je savais comment cela est fait, et de quelle façon on meurt là-dessus ! Mais c'est horrible, je ne le sais pas.

Le nom de la chose est effroyable, et je ne comprends point comment j'ai pu jusqu'à présent l'écrire et le 5 prononcer.

La combinaison de ces dix lettres, leur aspect, leur physionomie, est bien faite pour réveiller une idée épouvantable, et le médecin de malheur qui a inventé la chose avait un nom prédestiné. 10

L'image que j'y attache, à ce mot hideux, est vague, indéterminée, et d'autant plus sinistre. Chaque syllabe est comme une pièce de la machine. J'en construis et j'en démolis sans cesse dans mon esprit la monstrueuse charpente. 15

Je n'ose faire une question là-dessus, mais il est affreux de ne savoir ce que c'est, ni comment s'y prendre. Il paraît qu'il y a une bascule et qu'on vous couche sur le ventre...

– Ah ! mes cheveux blanchiront avant que ma tête ne 20 tombe !

CHAPITRE XXVIII

Je l'ai cependant entrevue une fois.

Je passais sur la place de Grève, en voiture, un jour, vers onze heures du matin. Tout à coup la voiture s'arrêta.

Il y avait foule sur la place. Je mis la tête à la portière. 5 Une populace encombrait la Grève et le quai, et des femmes, des hommes, des enfants étaient debout sur le parapet. Au-dessus des têtes, on voyait une espèce d'estrade en bois rouge que trois hommes échafaudaient.

Un condamné devait être exécuté le jour même, et l'on 10 bâtissait la machine.

Je détournai la tête avant d'avoir vu. À côté de la voiture, il y avait une femme qui disait à un enfant :

– Tiens, regarde ! Le couteau coule mal[1], ils vont graisser la rainure avec un bout de chandelle.

15 C'est probablement là qu'ils en sont aujourd'hui. Onze heures viennent de sonner. Ils graissent sans doute la rainure.

Ah ! cette fois, malheureux, je ne détournerai pas la tête.

---

1. **Le couteau coule mal :** comprendre « la lame de la guillotine glisse mal ».

CHAPITRE XXIX

Ô MA GRÂCE ! ma grâce ! on me fera peut-être grâce. Le roi ne m'en veut pas. Qu'on aille chercher mon avocat ! Vite l'avocat ! Je veux bien des galères. Cinq ans de galères, et que tout soit dit – ou vingt ans –, ou à perpétuité avec le fer rouge [1]. Mais grâce de la vie !

Un forçat, cela marche encore, cela va et vient, cela voit le soleil.

CHAPITRE XXX

LE PRÊTRE est revenu.

Il a des cheveux blancs, l'air très doux, une bonne et respectable figure ; c'est en effet un homme excellent et charitable. Ce matin, je l'ai vu vider sa bourse dans les mains des prisonniers. D'où vient que sa voix n'a rien qui émeuve et qui soit ému ? D'où vient qu'il ne m'a rien dit encore qui m'ait pris par l'intelligence ou par le cœur ?

Ce matin, j'étais égaré. J'ai à peine entendu ce qu'il m'a dit. Cependant ses paroles m'ont semblé inutiles, et je suis resté indifférent ; elles ont glissé comme cette pluie froide sur cette vitre glacée.

Cependant, quand il est rentré tout à l'heure près de moi, sa vue m'a fait du bien. C'est parmi tous ces hommes le

---

1. **Le fer rouge :** les bagnards condamnés à perpétuité étaient marqués au fer rouge.

seul qui soit encore homme pour moi, me suis-je dit. Et il
15 m'a pris une ardente soif de bonnes et consolantes paroles.

Nous nous sommes assis, lui sur la chaise, moi sur le lit.
Il m'a dit : – Mon fils... – Ce mot m'a ouvert le cœur. Il a
continué :

– Mon fils, croyez-vous en Dieu ?
20 – Oui, mon père, lui ai-je répondu.

– Croyez-vous en la sainte église catholique, apostolique
et romaine[1] ?

– Volontiers, lui ai-je dit.

– Mon fils, a-t-il repris, vous avez l'air de douter.
25 Alors il s'est mis à parler. Il a parlé longtemps ; il a dit
beaucoup de paroles ; puis, quand il a cru avoir fini, il
s'est levé et m'a regardé pour la première fois depuis le
commencement de son discours, en m'interrogeant :

– Eh bien ?
30 Je proteste que je l'avais écouté avec avidité d'abord,
puis avec attention, puis avec dévouement.

Je me suis levé aussi.

– Monsieur, lui ai-je répondu, laissez-moi seul, je vous
prie.
35 Il m'a demandé :

– Quand reviendrai-je ?

– Je vous le ferai savoir

Alors il est sorti sans colère, mais en hochant la tête,
comme se disant à lui-même :
40 – Un impie !

Non, si bas que je sois tombé, je ne suis pas un impie, et
Dieu m'est témoin que je crois en lui. Mais que m'a-t-il dit,
ce vieillard ? rien de senti, rien d'attendri, rien de pleuré,
rien d'arraché de l'âme, rien qui vînt de son cœur pour
45 aller au mien, rien qui fût de lui à moi. Au contraire, je ne
sais quoi de vague, d'inaccentué[2], d'applicable à tout et

---

1. **La sainte église catholique, apostolique et romaine :** formule litur-
   gique traditionnelle pour désigner la religion catholique.
2. **Inaccentué :** monotone.

à tous ; emphatique où il eût été besoin de profondeur, plat où il eût fallu être simple ; une espèce de sermon [1] sentimental et d'élégie [2] théologique. Çà et là, une citation latine en latin. Saint Augustin, saint Grégoire [3], que sais-je ? 50 Et puis, il avait l'air de réciter une leçon déjà vingt fois récitée, de repasser un thème [4], oblitéré [5] dans sa mémoire à force d'être su. Pas un regard dans l'œil, pas un accent dans la voix, pas un geste dans les mains.

Et comment en serait-il autrement ? Ce prêtre est 55 l'aumônier en titre de la prison. Son état est de consoler et d'exhorter, et il vit de cela. Les forçats, les patients sont du ressort de son éloquence. Il les confesse et les assiste, parce qu'il a sa place à faire. Il a vieilli à mener des hommes mourir. Depuis longtemps il est habitué à ce qui fait fris- 60 sonner les autres ; ses cheveux, bien poudrés à blanc, ne se dressent plus ; le bagne et l'échafaud sont de tous les jours pour lui. Il est blasé. Probablement il a son cahier ; telle page les galériens, telle page les condamnés à mort. On l'avertit la veille qu'il y aura quelqu'un à consoler le 65 lendemain à telle heure ; il demande ce que c'est, galérien ou supplicié ? en relit la page ; et puis il vient. De cette façon, il advient que ceux qui vont à Toulon et ceux qui vont à la Grève sont un lieu commun pour lui, et qu'il est un lieu commun pour eux. 70

Oh ! qu'on m'aille donc, au lieu de cela, chercher quelque jeune vicaire [6], quelque vieux curé, au hasard, dans la première paroisse venue ; qu'on le prenne au coin de son feu, lisant son livre et ne s'attendant à rien, et qu'on lui dise :

– Il y a un homme qui va mourir, et il faut que ce soit 75 vous qui le consoliez. Il faut que vous soyez là quand on

---

1. **Sermon :** discours prononcé par un prêtre.
2. **Élégie :** poème où domine la tristesse.
3. **Saint Augustin, saint Grégoire :** éminents théologiens catholiques.
4. **Repasser un thème :** répéter un exercice.
5. **Oblitéré :** effacé.
6. **Vicaire :** adjoint d'un curé.

lui liera les mains, là quand on lui coupera les cheveux ;
que vous montiez dans sa charrette avec votre crucifix
pour lui cacher le bourreau ; que vous soyez cahoté avec
80 lui par le pavé jusqu'à la Grève ; que vous traversiez avec
lui l'horrible foule buveuse de sang ; que vous l'embras-
siez au pied de l'échafaud, et que vous restiez jusqu'à ce
que la tête soit ici et le corps là.

Alors, qu'on me l'amène, tout palpitant, tout frissonnant
85 de la tête aux pieds ; qu'on me jette entre ses bras, à ses
genoux ; et il pleurera, et nous pleurerons, et il sera éloquent, et je serai consolé, et mon cœur se dégonflera dans
le sien, et il prendra mon âme, et je prendrai son Dieu.

Mais ce bon vieillard, qu'est-il pour moi ? Que suis-je
90 pour lui ? Un individu de l'espèce malheureuse, une
ombre comme il en a déjà tant vu, une unité à ajouter au
chiffre des exécutions.

J'ai peut-être tort de le repousser ainsi ; c'est lui qui est
bon et moi qui suis mauvais. Hélas ! ce n'est pas ma faute.
95 C'est mon souffle de condamné qui gâte et flétrit tout.

On vient de m'apporter de la nourriture ; ils ont cru que
je devais avoir besoin. Une table délicate et recherchée,
un poulet, il me semble, et autre chose encore. Eh bien !
j'ai essayé de manger ; mais, à la première bouchée, tout
100 est tombé de ma bouche, tant cela m'a paru amer et
fétide[1] !

---

1. **Fétide :** dont l'odeur est répugnante.

CHAPITRE XXXI

IL VIENT D'ENTRER un monsieur, le chapeau sur la tête, qui m'a à peine regardé, puis a ouvert un pied-de-roi[1] et s'est mis à mesurer de bas en haut les pierres du mur, parlant d'une voix très haute pour dire tantôt : *C'est cela* ; tantôt : *Ce n'est pas cela.*

J'ai demandé au gendarme qui c'était. Il paraît que c'est une espèce de sous-architecte employé à la prison.

De son côté, sa curiosité s'est éveillée sur mon compte. Il a échangé quelques demi-mots avec le porte-clefs qui l'accompagnait ; puis a fixé un instant les yeux sur moi, a secoué la tête d'un air insouciant, et s'est remis à parler à haute voix et à prendre des mesures.

Sa besogne finie, il s'est approché de moi en me disant avec sa voix éclatante :

– Mon bon ami, dans six mois cette prison sera beaucoup mieux.

Et son geste semblait ajouter :

– Vous n'en jouirez pas, c'est dommage.

Il souriait presque. J'ai cru voir le moment où il allait me railler doucement, comme on plaisante une jeune mariée le soir de ses noces.

Mon gendarme, vieux soldat à chevrons[2], s'est chargé de la réponse.

– Monsieur, lui a-t-il dit, on ne parle pas si haut dans la chambre d'un mort.

L'architecte s'en est allé.

Moi, j'étais là, comme une des pierres qu'il mesurait.

---

1. **Pied-de-roi :** instrument servant à prendre des mesures.
2. **Chevrons :** galons marquant le grade d'un soldat.

CHAPITRE XXXII

ET PUIS, il m'est arrivé une chose ridicule.

On est venu relever mon bon vieux gendarme, auquel, ingrat égoïste que je suis, je n'ai seulement pas serré la main. Un autre l'a remplacé : homme à front déprimé, des
5 yeux de bœuf, une figure inepte.

Au reste, je n'y avais fait aucune attention. Je tournais le dos à la porte, assis devant la table ; je tâchais de rafraîchir mon front avec ma main, et mes pensées troublaient mon esprit.

10 Un léger coup, frappé sur mon épaule, m'a fait tourner la tête. C'était le nouveau gendarme, avec qui j'étais seul.

Voici à peu près de quelle façon il m'a adressé la parole.

– Criminel, avez-vous bon cœur ?

– Non, lui ai-je dit.

15 La brusquerie de ma réponse a paru le déconcerter. Cependant il a repris en hésitant :

– On n'est pas méchant pour le plaisir de l'être.

– Pourquoi non ? ai-je répliqué. Si vous n'avez que cela à me dire, laissez-moi. Où voulez-vous en venir ?

20 – Pardon, mon criminel, a-t-il répondu. Deux mots seulement. Voici. Si vous pouviez faire le bonheur d'un pauvre homme, et que cela ne vous coûtât rien, est-ce que vous ne le feriez pas ?

J'ai haussé les épaules.

25 – Est-ce que vous arrivez de Charenton[1] ? Vous choisissez un singulier vase pour y puiser du bonheur. Moi, faire le bonheur de quelqu'un !

---

1. **Est-ce que vous arrivez de Charenton :** comprendre « êtes-vous fou ? » (Charenton est le lieu d'un célèbre asile).

Il a baissé la voix et pris un air mystérieux, ce qui n'allait pas à sa figure idiote.

– Oui, criminel, oui bonheur, oui fortune. Tout cela me sera venu de vous. Voici. Je suis un pauvre gendarme. Le service est lourd, la paye est légère ; mon cheval est à moi et me ruine. Or, je mets à la loterie pour contre-balancer[1]. Il faut bien avoir une industrie[2]. Jusqu'ici il ne m'a manqué pour gagner que d'avoir de bons numéros. J'en cherche partout de sûrs ; je tombe toujours à côté. Je mets le 76[3] ; il sort le 77. J'ai beau les nourrir[4], ils ne viennent pas... – Un peu de patience, s'il vous plaît, je suis à la fin. – Or, voici une belle occasion pour moi. Il paraît, pardon, criminel, que vous passez aujourd'hui. Il est certain que les morts qu'on fait périr comme cela voient la loterie d'avance. Promettez-moi de venir demain soir, qu'est-ce que cela vous fait ? me donner trois numéros, trois bons. Hein ? – Je n'ai pas peur des revenants, soyez tranquille. – Voici mon adresse : Caserne Popincourt, escalier A, n°26[5], au fond du corridor. Vous me reconnaîtrez bien, n'est-ce pas ? – Venez même ce soir, si cela vous est plus commode.

J'aurais dédaigné de lui répondre, à cet imbécile, si une espérance folle ne m'avait traversé l'esprit. Dans la position désespérée où je suis, on croit par moments qu'on briserait une chaîne avec un cheveu.

– Écoute, lui ai-je dit en faisant le comédien autant que le peut faire celui qui va mourir, je puis en effet te rendre plus riche que le roi, te faire gagner des millions. À une condition.

---

1. **Je mets à la loterie pour contre-balancer :** comprendre « je joue à la loterie pour compenser mes faibles revenus ».
2. **Une industrie :** une occupation, un passe-temps.
3. **76 :** le chiffre est symbolique, car il correspond au nombre de pairs nommés par Charles X en 1827.
4. **Les nourrir :** les rejouer.
5. L'adresse était réelle et correspondait à un souvenir d'Hugo.

Il ouvrait des yeux stupides.

– Laquelle ? laquelle ? tout pour vous plaire, mon criminel.

– Au lieu de trois numéros, je t'en promets quatre. 60 Change d'habits avec moi.

– Si ce n'est que cela ! s'est-il écrié en défaisant les premières agrafes de son uniforme.

Je m'étais levé de ma chaise. J'observais tous ses mouvements, mon cœur palpitait. Je voyais déjà les portes 65 s'ouvrir devant l'uniforme de gendarme, et la place, et la rue, et le Palais de Justice derrière moi !

Mais il s'est retourné d'un air indécis.

– Ah ça ! ce n'est pas pour sortir d'ici ?

J'ai compris que tout était perdu. Cependant j'ai tenté 70 un dernier effort, bien inutile et bien insensé !

– Si fait, lui ai-je dit, mais ta fortune est faite...

Il m'a interrompu.

– Ah bien non ! tiens ! et mes numéros ! Pour qu'ils soient bons, il faut que vous soyez mort.

75 Je me suis rassis, muet et plus désespéré de toute l'espérance que j'avais eue.

CHAPITRE XXXIII

J'AI FERMÉ les yeux, et j'ai mis les mains dessus, et j'ai tâché d'oublier, d'oublier le présent dans le passé. Tandis que je rêve, les souvenirs de mon enfance et de ma jeunesse me reviennent un à un, doux, calmes, riants, 5 comme des îles de fleurs sur ce gouffre de pensées noires et confuses qui tourbillonnent dans mon cerveau.

Je me revois enfant, écolier rieur et frais, jouant, courant, criant avec mes frères dans la grande allée verte de ce jardin sauvage[1] où ont coulé mes premières années,

---

1. **Ce jardin sauvage :** il s'agit du jardin des Feuillantines, près du Val-de-Grâce, à Paris, où Hugo a passé son enfance avec sa mère.

ancien enclos de religieuses que domine de sa tête de 10
plomb le sombre dôme du Val-de-Grâce.

Et puis, quatre ans plus tard, m'y voilà encore, toujours
enfant, mais déjà rêveur et passionné. Il y a une jeune fille
dans le solitaire jardin.

La petite Espagnole, avec ses grands yeux et ses grands 15
cheveux, sa peau brune et dorée, ses lèvres rouges et ses
joues roses, l'Andalouse de quatorze ans, Pepa.

Nos mères nous ont dit d'aller courir ensemble : nous
sommes venus nous promener.

On nous a dit de jouer, et nous causons, enfants du 20
même âge, non du même sexe.

Pourtant, il n'y a encore qu'un an, nous courions, nous
luttions ensemble. Je disputais à Pepita[1] la plus belle
pomme du pommier ; je la frappais pour un nid d'oiseau.
Elle pleurait ; je disais : C'est bien fait ! et nous allions 25
tous deux nous plaindre ensemble à nos mères, qui nous
donnaient tort tout haut et raison tout bas.

Maintenant elle s'appuie sur mon bras, et je suis tout
fier et tout ému. Nous marchons lentement, nous parlons
bas. Elle laisse tomber son mouchoir ; je le lui ramasse. 30
Nos mains tremblent en se touchant. Elle me parle des
petits oiseaux, de l'étoile qu'on voit là-bas, du couchant
vermeil derrière les arbres, ou bien de ses amies de pension, de sa robe et de ses rubans. Nous disons des choses
innocentes, et nous rougissons tous deux. La petite fille 35
est devenue jeune fille.

Ce soir-là – c'était un soir d'été, – nous étions sous les
marronniers, au fond du jardin. Après un de ces longs
silences qui remplissaient nos promenades, elle quitta
tout à coup mon bras, et me dit : Courons ! 40

Je la vois encore, elle était tout en noir en deuil de sa
grand-mère. Il lui passa par la tête une idée d'enfant, Pepa
redevint Pepita, elle me dit : Courons !

---

1. **Pepita** : diminutif de Pepa.

Et elle se mit à courir devant moi avec sa taille fine
45 comme le corset d'une abeille et ses petits pieds qui rele-
vaient sa robe jusqu'à mi-jambe. Je la poursuivis, elle
fuyait ; le vent de sa course soulevait par moments sa
pèlerine noire, et me laissait voir son dos brun et frais.

J'étais hors de moi. Je l'atteignis près du vieux puisard
50 en ruine ; je la pris par la ceinture, du droit de victoire, et
je la fis asseoir sur un banc de gazon ; elle ne résista pas.
Elle était essoufflée et riait. Moi j'étais sérieux, et je regardais ses prunelles noires à travers ses cils noirs.

– Asseyez-vous là, me dit-elle. Il fait encore grand jour,
55 lisons quelque chose. Avez-vous un livre ?

J'avais sur moi le tome second des *Voyages* de Spallanzani[1]. J'ouvris au hasard, je me rapprochai d'elle, elle
appuya son épaule à mon épaule, et nous nous mîmes à
lire chacun de notre côté, tout bas, la même page. Avant
60 de tourner le feuillet, elle était toujours obligée de
m'attendre. Mon esprit allait moins vite que le sien.

– Avez-vous fini ? me disait-elle, que j'avais à peine
commencé.

Cependant nos têtes se touchaient, nos cheveux se
65 mêlaient, nos haleines peu à peu se rapprochèrent, et nos
bouches tout à coup.

Quand nous voulûmes continuer notre lecture, le ciel
était étoilé.

– Oh ! maman, maman, dit-elle en rentrant, si tu savais
70 comme nous avons couru !

Moi, je gardais le silence.

– Tu ne dis rien, me dit ma mère, tu as l'air triste.

J'avais le paradis dans le cœur.

C'est une soirée que je me rappellerai toute ma vie.
75 Toute ma vie !

---

1. ***Voyages* de Spallanzani :** récits de voyages de la fin du XVIIIᵉ siècle.

CHAPITRE XXXIV

UNE HEURE vient de sonner. Je ne sais laquelle : j'entends mal le marteau de l'horloge. Il me semble que j'ai un bruit d'orgue dans les oreilles ; ce sont mes dernières pensées qui bourdonnent.

À ce moment suprême où je me recueille dans mes souvenirs, j'y retrouve mon crime avec horreur ; mais je voudrais me repentir davantage encore. J'avais plus de remords avant ma condamnation ; depuis, il semble qu'il n'y ait plus de place que pour les pensées de mort. Pourtant, je voudrais bien me repentir beaucoup.

Quand j'ai rêvé une minute à ce qu'il y a de passé dans ma vie, et que j'en reviens au coup de hache qui doit la terminer tout à l'heure, je frissonne comme d'une chose nouvelle. Ma belle enfance ! ma belle jeunesse ! étoffe dorée dont l'extrémité est sanglante. Entre alors et à présent, il y a une rivière de sang, le sang de l'autre et le mien.

Si on lit un jour mon histoire, après tant d'années d'innocence et de bonheur, on ne voudra pas croire à cette année exécrable, qui s'ouvre par un crime et se clôt par un supplice ; elle aura l'air dépareillée[1].

Et pourtant, misérables lois et misérables hommes, je n'étais pas un méchant !

Oh ! mourir dans quelques heures, et penser qu'il y a un an, à pareil jour, j'étais libre et pur, que je faisais mes promenades d'automne, que j'errais sous les arbres, et que je marchais dans les feuilles !

---

1. **Dépareillée :** divisée en petits morceaux, disjointe.

CHAPITRE XXXV

EN CE MOMENT MÊME, il y a tout auprès de moi, dans ces maisons qui font cercle autour du Palais et de la Grève, et partout dans Paris, des hommes qui vont et viennent, causent et rient, lisent le journal, pensent à leurs affaires ;
5 des marchands qui vendent ; des jeunes filles qui préparent leurs robes de bal pour ce soir ; des mères qui jouent avec leurs enfants !

CHAPITRE XXXVI

JE ME SOUVIENS qu'un jour, étant enfant, j'allai voir le bourdon[1] de Notre-Dame.

J'étais déjà étourdi d'avoir monté le sombre escalier en colimaçon, d'avoir parcouru la frêle galerie qui lie les
5 deux tours, d'avoir eu Paris sous les pieds, quand j'entrai dans la cage de pierre et de charpente où pend le bourdon avec son battant, qui pèse un millier[2].

J'avançai en tremblant sur les planches mal jointes, regardant à distance cette cloche si fameuse parmi les
10 enfants et le peuple de Paris, et ne remarquant pas sans effroi que les auvents couverts d'ardoises qui entourent le clocher de leurs plans inclinés étaient au niveau de mes pieds. Dans les intervalles, je voyais, en quelque sorte à

---

1. **Le bourdon :** la plus grosse cloche d'une église. Le bourdon de Notre-Dame a un rôle important dans *Notre-Dame de Paris*.
2. **Un millier :** abréviation de « mille livres », soit 500 kg.

vol d'oiseau, la place du Parvis-Notre-Dame [1], et les passants comme des fourmis.

Tout à coup l'énorme cloche tinta, une vibration profonde remua l'air, fit osciller la lourde tour. Le plancher
sautait sur les poutres. Le bruit faillit me renverser ; je
chancelai, prêt à tomber, prêt à glisser sur les auvents
d'ardoises en pente. De terreur, je me couchai sur les
planches, les serrant étroitement de mes deux bras, sans
parole, sans haleine, avec ce formidable tintement dans
les oreilles, et sous les yeux ce précipice, cette place profonde où se croisaient tant de passants paisibles et enviés.

Eh bien ! il me semble que je suis encore dans la tour
du bourdon. C'est tout ensemble un étourdissement et un
éblouissement. Il y a comme un bruit de cloche qui
ébranle les cavités de mon cerveau ; et autour de moi je
n'aperçois plus cette vie plane et tranquille que j'ai quittée,
et où les autres hommes cheminent encore, que de loin et
à travers les crevasses d'un abîme.

CHAPITRE XXXVII

L'HÔTEL DE VILLE est un édifice sinistre.

Avec son toit aigu et roide, son clocheton bizarre, son
grand cadran blanc, ses étages à petites colonnes, ses
mille croisées, ses escaliers usés par les pas, ses deux
arches à droite et à gauche, il est là, de plain-pied avec la
Grève ; sombre, lugubre, la face toute rongée de vieillesse,
et si noir qu'il est noir au soleil.

Les jours d'exécution, il vomit des gendarmes de
toutes ses portes, et regarde le condamné avec toutes ses
fenêtres.

Et le soir, son cadran, qui a marqué l'heure, reste lumineux sur sa façade ténébreuse.

---

1. **Parvis-Notre-Dame :** place située juste devant la cathédrale.

CHAPITRE XXXVIII

IL EST UNE HEURE ET QUART.

Voici ce que j'éprouve maintenant :

Une violente douleur de tête. Les reins froids, le front brûlant. Chaque fois que je me lève ou que je me penche, il me semble qu'il y a un liquide qui flotte dans mon cerveau, et qui fait battre ma cervelle contre les parois du crâne.

J'ai des tressaillements convulsifs, et de temps en temps la plume tombe de mes mains comme par une secousse galvanique[1].

Les yeux me cuisent comme si j'étais dans la fumée.

J'ai mal dans les coudes.

Encore deux heures et quarante-cinq minutes, et je serai guéri.

---

1. **Galvanique :** électrique.

CHAPITRE XXXIX

ILS DISENT que ce n'est rien, qu'on ne souffre pas, que c'est une fin douce, que la mort de cette façon est bien simplifiée.

Eh ! qu'est-ce donc que cette agonie de six semaines et ce râle de tout un jour ? Qu'est-ce que les angoisses de 5 cette journée irréparable, qui s'écoule si lentement et si vite ? Qu'est-ce que cette échelle de tortures qui aboutit à l'échafaud ?

Apparemment ce n'est pas là souffrir.

Ne sont-ce pas les mêmes convulsions, que le sang 10 s'épuise goutte à goutte, ou que l'intelligence s'éteigne pensée à pensée ?

Et puis, on ne souffre pas, en sont-ils sûrs ? Qui le leur a dit ? Conte-t-on que jamais une tête coupée se soit dressée sanglante au bord du panier et qu'elle ait crié au peuple : 15 Cela ne fait pas de mal !

Y a-t-il des morts de leur façon qui soient venus les remercier et leur dire : C'est bien inventé. Tenez-vous-en là. La mécanique est bonne.

Est-ce Robespierre ? Est-ce Louis XVI[1] ?... 20

Non, rien ! moins qu'une minute, moins qu'une seconde, et la chose est faite. Se sont-ils jamais mis, seulement en pensée, à la place de celui qui est là, au moment où le lourd tranchant qui tombe mord la chair, rompt les nerfs, brise les vertèbres... Mais quoi ! une demi-seconde ! 25 la douleur est escamotée[2]... Horreur !

---

1. **Est-ce Robespierre ? Est-ce Louis XVI ? :** les deux hommes sont morts sur l'échafaud.
2. **Est escamotée :** disparaît comme par magie.

CHAPITRE XL

IL EST SINGULIER que je pense sans cesse au roi. J'ai beau
faire, beau secouer la tête, j'ai une voix dans l'oreille qui
me dit toujours :

    – Il y a dans cette même ville, à cette même heure, et
5 pas bien loin d'ici, dans un autre palais, un homme qui a
aussi des gardes à toutes ses portes, un homme unique
comme toi dans le peuple, avec cette différence qu'il est
aussi haut que tu es bas. Sa vie entière, minute par
minute, n'est que gloire, grandeur, délices, enivrement.
10 Tout est autour de lui amour respect, vénération. Les voix
les plus hautes deviennent basses en lui parlant et les
fronts les plus fiers ploient. Il n'a que de la soie et de l'or
sous les yeux. À cette heure, il tient quelque conseil de
ministres où tous sont de son avis ; ou bien songe à la
15 chasse de demain, au bal de ce soir ; sûr que la fête viendra à l'heure, et laissant à d'autres le travail de ses plaisirs.
Eh bien ! cet homme est de chair et d'os comme toi ! – Et
pour qu'à l'instant même l'horrible échafaud s'écroulât,
pour que tout te fût rendu, vie, liberté, fortune, famille, il
20 suffirait qu'il écrivît avec cette plume les sept lettres de
son nom[1] au bas d'un morceau de papier, ou même que
son carrosse rencontrât ta charrette[2] ! – Et il est bon, et il
ne demanderait pas mieux peut-être, et il n'en sera rien !

---

1. **Les sept lettres de son nom :** le nom du roi Charles X a sept lettres.
   Seul le roi peut signer une grâce.
2. Selon une très ancienne superstition, rencontrer le roi sur le chemin
   ou sur le lieu d'un supplice valait grâce au condamné.

CHAPITRE XLI

EH BIEN DONC ! ayons courage avec la mort, prenons cette horrible idée à deux mains, et considérons-la en face. Demandons-lui compte de ce qu'elle est, sachons ce qu'elle nous veut, retournons-la en tous sens, épelons l'énigme, et regardons d'avance dans le tombeau.   5

Il me semble que, dès que mes yeux seront fermés, je verrai une grande clarté et des abîmes de lumière où mon esprit roulera sans fin. Il me semble que le ciel sera lumineux de sa propre essence, que les astres y feront des taches obscures, et qu'au lieu d'être comme pour les yeux   10
vivants des paillettes d'or sur du velours noir, ils sembleront des points noirs sur du drap d'or.

Ou bien, misérable que je suis, ce sera peut-être un gouffre hideux, profond, dont les parois seront tapissées de ténèbres, et où je tomberai sans cesse en voyant des   15
formes remuer dans l'ombre.

Ou bien, en m'éveillant après le coup, je me trouverai peut-être sur quelque surface plane et humide, rampant dans l'obscurité et tournant sur moi-même comme une tête qui roule. Il me semble qu'il y aura un grand vent qui   20
me poussera, et que je serai heurté çà et là par d'autres têtes roulantes. Il y aura par places des mares et des ruisseaux d'un liquide inconnu et tiède ; tout sera noir. Quand mes yeux, dans leur rotation, seront tournés en haut, ils ne verront qu'un ciel d'ombre, dont les couches   25
épaisses pèseront sur eux, et au loin dans le fond de grandes arches de fumée plus noires que les ténèbres. Ils verront aussi voltiger dans la nuit de petites étincelles rouges, qui, en s'approchant, deviendront des oiseaux de feu. Et ce sera ainsi toute l'éternité !   30

Il se peut bien aussi qu'à certaines dates les morts de la Grève se rassemblent par de noires nuits d'hiver sur la

place qui est à eux. Ce sera une foule pâle et sanglante, et
je n'y manquerai pas. Il n'y aura pas de lune, et l'on par-
35 lera à voix basse. L'hôtel de ville sera là, avec sa façade
vermoulue, son toit déchiqueté, et son cadran qui aura
été sans pitié pour tous. Il y aura sur la place une guillotine de l'enfer où un démon exécutera un bourreau ; ce
sera à quatre heures du matin. À notre tour nous ferons
40 foule autour.

Il est probable que cela est ainsi. Mais si ces morts-là
reviennent, sous quelle forme reviennent-ils ? Que gardent-
ils de leur corps incomplet et mutilé ? Que choisissent-
ils ? Est-ce la tête ou le tronc qui est spectre ?

45 Hélas ! qu'est-ce que la mort fait avec notre âme ?
Quelle nature lui laisse-t-elle ? Qu'a-t-elle à lui prendre ou
à lui donner ? Où la met-elle ? Lui prête-t-elle quelquefois
des yeux de chair pour regarder sur la terre, et pleurer ?

Ah ! un prêtre ! un prêtre qui sache cela ! Je veux un
50 prêtre, et un crucifix à baiser !

Mon Dieu, toujours le même !

CHAPITRE XLII

JE L'AI PRIÉ de me laisser dormir, et je me suis jeté sur le lit.

En effet, j'avais un flot de sang dans la tête, qui m'a fait dormir. C'est mon dernier sommeil, de cette espèce.

J'ai fait un rêve. 5

J'ai rêvé que c'était la nuit. Il me semblait que j'étais dans mon cabinet[1] avec deux ou trois de mes amis, je ne sais plus lesquels.

Ma femme était couchée dans la chambre à coucher à côté, et dormait avec son enfant. 10

Nous parlions à voix basse, mes amis et moi, et ce que nous disions nous effrayait.

Tout à coup il me sembla entendre un bruit quelque part dans les autres pièces de l'appartement. Un bruit faible, étrange, indéterminé. 15

Mes amis avaient entendu comme moi. Nous écoutâmes : c'était comme une serrure qu'on ouvre sourdement, comme un verrou qu'on scie à petit bruit.

Il y avait quelque chose qui nous glaçait : nous avions peur. Nous pensâmes que peut-être c'étaient des voleurs 20 qui s'étaient introduits chez moi, à cette heure si avancée de la nuit.

Nous résolûmes d'aller voir. Je me levai, je pris la bougie. Mes amis me suivaient, un à un.

Nous traversâmes la chambre à coucher, à côté. Ma 25 femme dormait avec son enfant.

Puis nous arrivâmes dans le salon. Rien. Les portraits étaient immobiles dans leurs cadres d'or sur la tenture

---

1. **Cabinet :** pièce réservée au travail.

rouge. Il me sembla que la porte du salon à la salle à
30 manger n'était point à sa place ordinaire.

Nous entrâmes dans la salle à manger ; nous en fîmes le
tour. Je marchais le premier. La porte sur l'escalier était
bien fermée, les fenêtres aussi. Arrivé près du poêle, je vis
que l'armoire au linge était ouverte, et que la porte de
35 cette armoire était tirée sur l'angle du mur comme pour le
cacher.

Cela me surprit. Nous pensâmes qu'il y avait quelqu'un
derrière la porte.

Je portai la main à cette porte pour refermer l'armoire ;
40 elle résista. Étonné, je tirai plus fort, elle céda brusquement, et nous découvrîmes une petite vieille, les mains
pendantes, les yeux fermés, immobile, debout, et comme
collée dans l'angle du mur.

Cela avait quelque chose de hideux, et mes cheveux se
45 dressent d'y penser.

Je demandai à la vieille :

– Que faites-vous là ?

Elle ne répondit pas.

Je lui demandai :

50 – Qui êtes-vous ?

Elle ne répondit pas, ne bougea pas, et resta les yeux
fermés.

Mes amis dirent :

– C'est sans doute la complice de ceux qui sont entrés
55 avec de mauvaises pensées ; ils se sont échappés en nous
entendant venir ; elle n'aura pu fuir et s'est cachée là.

Je l'ai interrogée de nouveau, elle est demeurée sans
voix, sans mouvement, sans regard.

Un de nous l'a poussée à terre, elle est tombée.

60 Elle est tombée tout d'une pièce, comme un morceau
de bois, comme une chose morte.

Nous l'avons remuée du pied, puis deux de nous l'ont
relevée et de nouveau appuyée au mur. Elle n'a donné
aucun signe de vie. On lui a crié dans l'oreille, elle est res-
65 tée muette comme si elle était sourde.

Cependant, nous perdions patience, et il y avait de la colère dans notre terreur. Un de nous m'a dit :

– Mettez-lui la bougie sous le menton.

Je lui ai mis la mèche enflammée sous le menton. Alors elle a ouvert un œil à demi, un œil vide, terne, affreux, et qui ne regardait pas.

J'ai ôté la flamme et j'ai dit :

– Ah ! enfin ! répondras-tu, vieille sorcière ? Qui es-tu ? L'œil s'est refermé comme de lui-même.

– Pour le coup, c'est trop fort, ont dit les autres. Encore la bougie ! encore ! il faudra bien qu'elle parle.

J'ai replacé la lumière sous le menton de la vieille.

Alors, elle a ouvert ses deux yeux lentement, nous a regardés tous les uns après les autres, puis, se baissant brusquement, a soufflé la bougie avec un souffle glacé. Au même moment j'ai senti trois dents aiguës s'imprimer sur ma main, dans les ténèbres.

Je me suis réveillé, frissonnant et baigné d'une sueur froide.

Le bon aumônier[1] était assis au pied de mon lit, et lisait des prières.

– Ai-je dormi longtemps ? lui ai-je demandé.

– Mon fils, m'a-t-il dit, vous avez dormi une heure. On vous a amené votre enfant. Elle est là dans la pièce voisine, qui vous attend. Je n'ai pas voulu qu'on vous éveillât.

– Oh ! ai-je crié, ma fille, qu'on m'amène ma fille !

---

1. **Aumônier :** prêtre attaché à un établissement particulier, ici à la prison.

CHAPITRE XLIII

ELLE EST FRAÎCHE, elle est rose, elle a de grands yeux, elle est belle !

On lui a mis une petite robe qui lui va bien.

Je l'ai prise, je l'ai enlevée dans mes bras, je l'ai assise
5 sur mes genoux, je l'ai baisée sur ses cheveux.

Pourquoi pas avec sa mère ? – Sa mère est malade, sa grand'mère aussi. C'est bien.

Elle me regardait d'un air étonné ; caressée, embrassée, dévorée de baisers et se laissant faire ; mais jetant de
10 temps en temps un coup d'œil inquiet sur sa bonne, qui pleurait dans le coin.

Enfin j'ai pu parler.

– Marie ! ai-je dit, ma petite Marie !

Je la serrais violemment contre ma poitrine enflée de
15 sanglots. Elle a poussé un petit cri.

– Oh ! vous me faites du mal, monsieur, m'a-t-elle dit.

Monsieur ! Il y a bientôt un an qu'elle ne m'a vu, la pauvre enfant. Elle m'a oublié, visage, parole, accent ; et puis, qui me reconnaîtrait avec cette barbe, ces habits et cette
20 pâleur ? Quoi ! déjà effacé de cette mémoire, la seule où j'eusse voulu vivre ! Quoi ! déjà plus père ! être condamné à ne plus entendre ce mot, ce mot de la langue des enfants, si doux qu'il ne peut rester dans celle des hommes : *papa !*

25 Et pourtant l'entendre de cette bouche, encore une fois, une seule fois, voilà tout ce que j'eusse demandé pour les quarante ans de vie qu'on me prend.

– Écoute, Marie, lui ai-je dit en joignant ses deux petites mains dans les miennes, est-ce que tu ne me connais
30 point ?

Elle m'a regardé avec ses beaux yeux, et a répondu :

– Ah bien non !

– Regarde bien, ai-je répété. Comment, tu ne sais pas qui je suis ?

– Si, a-t-elle dit. Un monsieur.

Hélas ! n'aimer ardemment qu'un seul être au monde, l'aimer avec tout son amour, et l'avoir devant soi, qui vous voit et vous regarde, vous parle et vous répond, et ne vous connaît pas ! Ne vouloir de consolation que de lui, et qu'il soit le seul qui ne sache pas qu'il vous en faut parce que vous allez mourir !

– Marie, ai-je repris, as-tu un papa ?

– Oui, monsieur, a dit l'enfant.

– Eh bien, où est-il ?

Elle a levé ses grands yeux étonnés.

– Ah ! vous ne savez donc pas ? Il est mort.

Puis elle a crié ; j'avais failli la laisser tomber.

– Mort ! disais-je. Marie, sais-tu ce que c'est qu'être mort ?

– Oui, monsieur, a-t-elle répondu. Il est dans la terre et dans le ciel.

Elle a continué d'elle-même :

– Je prie le bon Dieu pour lui matin et soir sur les genoux de maman.

Je l'ai baisée au front.

– Marie, dis-moi ta prière.

– Je ne peux pas, monsieur. Une prière, cela ne se dit pas dans le jour. Venez ce soir dans ma maison ; je la dirai.

C'était assez de cela. Je l'ai interrompue.

– Marie, c'est moi qui suis ton papa.

– Ah ! m'a-t-elle dit.

J'ai ajouté : – Veux-tu que je sois ton papa ?

L'enfant s'est détournée.

– Non, mon papa était bien plus beau.

Je l'ai couverte de baisers et de larmes. Elle a cherché à se dégager de mes bras en criant :

– Vous me faites mal avec votre barbe.

Alors, je l'ai replacée sur mes genoux, en la couvant des yeux, et puis je l'ai questionnée.

– Marie, sais-tu lire ?

– Oui, a-t-elle répondu. Je sais bien lire. Maman me fait lire mes lettres.

75 – Voyons, lis un peu, lui ai-je dit en lui montrant un papier qu'elle tenait chiffonné dans une de ses petites mains.

Elle a hoché sa jolie tête.

– Ah bien ! je ne sais lire que des fables.

– Essaie toujours. Voyons, lis.

80 Elle a déployé le papier, et s'est mise à épeler avec son doigt :

– A, R, *ar*, R, E, T, *rêt*, ARRET...

Je lui ai arraché cela des mains. C'est ma sentence de mort qu'elle me lisait. Sa bonne avait eu le papier pour un 85 sou. Il me coûtait plus cher, à moi.

Il n'y a pas de paroles pour ce que j'éprouvais. Ma violence l'avait effrayée ; elle pleurait presque. Tout à coup elle m'a dit :

– Rendez-moi donc mon papier, tiens ! c'est pour jouer.

90 Je l'ai remise à sa bonne.

– Emportez-la.

Et je suis retombé sur ma chaise, sombre, désert, désespéré. À présent ils devraient venir ; je ne tiens plus à rien ; la dernière fibre de mon cœur est brisée. Je suis bon pour 95 ce qu'ils vont faire.

CHAPITRE XLIV

LE PRÊTRE est bon, le gendarme aussi. Je crois qu'ils ont versé une larme quand j'ai dit qu'on m'emportât mon enfant.

C'est fait. Maintenant il faut que je me roidisse en moi-même, et que je pense fermement au bourreau, à la charrette, aux gendarmes, à la foule sur le pont, à la foule sur le quai, à la foule aux fenêtres, et à ce qu'il y aura exprès pour moi sur cette lugubre place de Grève, qui pourrait être pavée des têtes qu'elle a vu tomber.

Je crois que j'ai encore une heure pour m'habituer à tout cela.

CHAPITRE XLV

TOUT CE PEUPLE rira, battra des mains, applaudira. Et parmi tous ces hommes, libres et inconnus des geôliers, qui courent pleins de joie à une exécution, dans cette foule de têtes qui couvrira la place, il y aura plus d'une tête prédestinée[1] qui suivra la mienne tôt ou tard dans le panier rouge. Plus d'un qui y vient pour moi y viendra pour soi.

Pour ces êtres fatals il y a sur un certain point de la place de Grève un lieu fatal, un centre d'attraction, un piège. Ils tournent autour jusqu'à ce qu'ils y soient.

---

1. **Prédestinée :** dans le vocabulaire théologique, destinée à Dieu ; ici, l'expression est ironique.

CHAPITRE XLVI

MA PETITE MARIE ! – On l'a remmenée jouer ; elle regarde la foule par la portière du fiacre, et ne pense déjà plus à ce *monsieur*.

Peut-être aurais-je encore le temps d'écrire quelques pages pour elle, afin qu'elle les lise un jour, et qu'elle pleure dans quinze ans pour aujourd'hui.

Oui, il faut qu'elle sache par moi mon histoire, et pourquoi le nom que je lui laisse est sanglant.

CHAPITRE XLVII

MON HISTOIRE[1]

NOTE DE L'ÉDITEUR – On n'a pu encore retrouver les feuillets qui se rattachaient à celui-ci. Peut-être, comme ceux qui suivent semblent l'indiquer, le condamné n'a-t-il pas eu le temps de les écrire. Il était tard quand cette pensée lui est venue.

---

1. C'est le seul chapitre du roman à être titré. Hugo l'a laissé délibérément inachevé.

CHAPITRE XLVIII

D'une chambre de l'hôtel de ville.

DE L'HÔTEL DE VILLE !... – Ainsi j'y suis. Le trajet exécrable est fait. La place est là, et au-dessous de la fenêtre l'horrible peuple qui aboie, et m'attend, et rit.

J'ai eu beau me roidir, beau me crisper, le cœur m'a failli. 5

Quand j'ai vu au-dessus des têtes ces deux bras rouges, avec leur triangle noir au bout, dressés entre les deux lanternes du quai, le cœur m'a failli. J'ai demandé à faire une dernière déclaration. On m'a déposé ici, et l'on est allé chercher quelque procureur du roi. Je l'attends, c'est toujours cela de gagné. 10

Voici :

Trois heures sonnaient, on est venu m'avertir qu'il était temps. J'ai tremblé, comme si j'eusse pensé à autre chose depuis six heures, depuis six semaines, depuis six mois. 15
Cela m'a fait l'effet de quelque chose d'inattendu.

Ils m'ont fait traverser leurs corridors et descendre leurs escaliers. Ils m'ont poussé entre deux guichets du rez-de-chaussée, salle sombre, étroite, voûtée, à peine éclairée d'un jour de pluie et de brouillard. Une chaise était au 20
milieu. Ils m'ont dit de m'asseoir ; je me suis assis.

Il y avait près de la porte et le long des murs quelques personnes debout, outre le prêtre et les gendarmes, et il y avait aussi trois hommes.

Le premier, le plus grand, le plus vieux, était gras et 25
avait la face rouge. Il portait une redingote et un chapeau à trois cornes déformé. C'était lui.

C'était le bourreau, le valet de la guillotine. Les deux autres étaient ses valets, à lui.

À peine assis, les deux autres se sont approchés de moi, 30
par-derrière, comme des chats, puis tout à coup j'ai senti un froid d'acier dans mes cheveux, et les ciseaux ont grincé à mes oreilles.

Mes cheveux, coupés au hasard, tombaient par mèches
35 sur mes épaules, et l'homme au chapeau à trois cornes les
époussetait doucement avec sa grosse main.

Autour, on parlait à voix basse.

Il y avait un grand bruit au-dehors, comme un frémis-
sement qui ondulait dans l'air. J'ai cru d'abord que c'était
40 la rivière ; mais, à des rires qui éclataient, j'ai reconnu que
c'était la foule.

Un jeune homme, près de la fenêtre, qui écrivait, avec
un crayon, sur un portefeuille, a demandé à un des guichetiers comment s'appelait ce qu'on faisait là.

45 – La toilette du condamné, a répondu l'autre.

J'ai compris que cela serait demain dans le journal.

Tout à coup l'un des valets m'a enlevé ma veste, et
l'autre a pris mes deux mains qui pendaient, les a rame-
nées derrière mon dos, et j'ai senti les nœuds d'une corde
50 se rouler lentement autour de mes poignets rapprochés.
En même temps, l'autre détachait ma cravate. Ma chemise
de batiste[1], seul lambeau qui me restât du moi d'autrefois,
l'a fait en quelque sorte hésiter un moment ; puis il s'est
mis à en couper le col.

55 À cette précaution horrible, au saisissement de l'acier
qui touchait mon cou, mes coudes ont tressailli, et j'ai
laissé échapper un rugissement étouffé. La main de l'exécuteur a tremblé.

– Monsieur, m'a-t-il dit, pardon ! Est-ce que je vous ai
60 fait mal ?

Ces bourreaux sont des hommes très doux.

La foule hurlait plus haut au-dehors.

Le gros homme au visage bourgeonné[2] m'a offert à respirer un mouchoir imbibé de vinaigre[3].

---

1. **Chemise de batiste :** chemise de toile fine.
2. **Bourgeonné :** couvert de boutons.
3. **Un mouchoir imbibé de vinaigre :** le vinaigre était utilisé pour
   ranimer les victimes d'un malaise.

– Merci, lui ai-je dit de la voix la plus forte que j'ai pu, c'est inutile ; je me trouve bien.

Alors l'un d'eux s'est baissé et m'a lié les deux pieds, au moyen d'une corde fine et lâche, qui ne me laissait à faire que de petits pas. Cette corde est venue se rattacher à celle de mes mains.

Puis le gros homme a jeté la veste sur mon dos, et a noué les manches ensemble sous mon menton. Ce qu'il y avait à faire là était fait.

Alors le prêtre s'est approché avec son crucifix.

– Allons, mon fils, m'a-t-il dit.

Les valets m'ont pris sous les aisselles. Je me suis levé, j'ai marché. Mes pas étaient mous et fléchissaient comme si j'avais eu deux genoux à chaque jambe.

En ce moment la porte extérieure s'est ouverte à deux battants. Une clameur furieuse et l'air froid et la lumière blanche ont fait irruption jusqu'à moi dans l'ombre. Du fond du sombre guichet, j'ai vu brusquement tout à la fois, à travers la pluie, les mille têtes hurlantes du peuple entassées pêle-mêle sur la rampe du grand escalier du Palais : à droite, de plain-pied avec le seuil, un rang de chevaux de gendarmes, dont la porte basse ne me découvrait que les pieds de devant et les poitrails ; en face, un détachement de soldats en bataille ; à gauche, l'arrière d'une charrette, auquel s'appuyait une roide échelle. Tableau hideux, bien encadré dans une porte de prison.

C'est pour ce moment redouté que j'avais gardé mon courage. J'ai fait trois pas, et j'ai paru sur le seuil du guichet.

– Le voilà ! le voilà ! a crié la foule. Il sort ! enfin !

Et les plus près de moi battaient des mains. Si fort qu'on aime un roi, ce serait moins de fête.

C'était une charrette ordinaire, avec un cheval étique[1], et un charretier en sarrau bleu à dessins rouges, comme ceux des maraîchers des environs de Bicêtre.

---

1. **Étique :** très maigre.

100 Le gros homme en chapeau à trois cornes est monté le premier.

– Bonjour, monsieur Samson ! criaient des enfants pendus à des grilles.

Un valet l'a suivi.

105 – Bravo, Mardi[1] ! ont crié de nouveau les enfants.

Ils se sont assis tous deux sur la banquette de devant.

C'était mon tour. J'ai monté d'une allure assez ferme.

– Il va bien ! a dit une femme à côté des gendarmes.

Cet atroce éloge m'a donné du courage. Le prêtre est
110 venu se placer auprès de moi. On m'avait assis sur la banquette de derrière, le dos tourné au cheval. J'ai frémi de cette dernière attention.

Ils mettent de l'humanité là-dedans.

J'ai voulu regarder autour de moi. Gendarmes devant,
115 gendarmes derrière ; puis de la foule, de la foule, et de la foule ; une mer de têtes sur la place.

Un piquet[2] de gendarmerie à cheval m'attendait à la porte de la grille du Palais.

L'officier a donné l'ordre. La charrette et son cortège se
120 sont mis en mouvement, comme poussés en avant par un hurlement de la populace.

On a franchi la grille. Au moment où la charrette a tourné vers le Pont-au-Change[3], la place a éclaté en bruit, du pavé aux toits, et les ponts et les quais ont répondu à
125 faire un tremblement de terre.

C'est là que le piquet qui attendait s'est rallié à l'escorte.

– Chapeaux bas ! chapeaux bas ! criaient mille bouches ensemble. Comme pour le roi.

Alors j'ai ri horriblement aussi, moi, et j'ai dit au prêtre :
130 – Eux les chapeaux, moi la tête.

On allait au pas.

---

1. **Mardi :** nom du valet.
2. **Piquet :** petit groupe.
3. **Pont-au-Change :** pont qui relie la Seine à l'île de la Cité.

Le quai aux Fleurs embaumait ; c'est jour de marché. Les marchandes ont quitté leurs bouquets pour moi.

Vis-à-vis, un peu avant la tour carrée qui fait le coin du Palais, il y a des cabarets, dont les entresols[1] étaient pleins de spectateurs heureux de leurs belles places. Surtout des femmes. La journée doit être bonne pour les cabaretiers.

On louait des tables, des chaises, des échafaudages, des charrettes. Tout pliait de spectateurs. Des marchands de sang humain criaient à tue-tête :

– Qui veut des places ?

Une rage m'a pris contre ce peuple. J'ai eu envie de leur crier :

– Qui veut la mienne ?

Cependant la charrette avançait. À chaque pas qu'elle faisait, la foule se démolissait derrière elle, et je la voyais de mes yeux égarés qui s'allait reformer plus loin sur d'autres points de mon passage.

En entrant sur le Pont-au-Change, j'ai par hasard jeté les yeux à ma droite en arrière. Mon regard s'est arrêté sur l'autre quai, au-dessus des maisons, à une tour noire, isolée, hérissée de sculptures, au sommet de laquelle je voyais deux monstres de pierre assis de profil. Je ne sais pourquoi j'ai demandé au prêtre ce que c'était que cette tour.

– Saint-Jacques-la-Boucherie[2], a répondu le bourreau. J'ignore comment cela se faisait ; dans la brume, et malgré la pluie fine et blanche qui rayait l'air comme un réseau de fils d'araignée, rien de ce qui se passait autour de moi ne m'a échappé. Chacun de ces détails m'apportait sa torture. Les mots manquent aux émotions.

Vers le milieu de ce Pont-au-Change, si large et si encombré que nous cheminions à grand'peine, l'horreur m'a pris violemment. J'ai craint de défaillir, dernière

---

1. **Entresols :** étages intermédiaires entre le rez-de-chaussée et le premier étage.
2. **Saint-Jacques-la-Boucherie :** église proche de la place du Châtelet.

165 vanité ! Alors je me suis étourdi moi-même pour être aveugle et pour être sourd à tout, excepté au prêtre, dont j'entendais à peine les paroles, entrecoupées de rumeurs.

J'ai pris le crucifix et je l'ai baisé.

– Ayez pitié de moi, ai-je dit, ô mon Dieu ! – Et j'ai
170 tâché de m'abîmer dans cette pensée.

Mais chaque cahot de la dure charrette me secouait. Puis tout à coup je me suis senti un grand froid. La pluie avait traversé mes vêtements, et mouillait la peau de ma tête à travers mes cheveux coupés et courts.

175 – Vous tremblez de froid, mon fils ? m'a demandé le prêtre.

– Oui, ai-je répondu.

Hélas ! pas seulement de froid[1].

Au détour du pont, des femmes m'ont plaint d'être si
180 jeune.

Nous avons pris le fatal quai. Je commençais à ne plus voir, à ne plus entendre. Toutes ces voix, toutes ces têtes aux fenêtres, aux portes, aux grilles des boutiques, aux branches des lanternes ; ces spectateurs avides et cruels ;
185 cette foule où tous me connaissent et où je ne connais personne ; cette route pavée et murée de visages humains... J'étais ivre, stupide, insensé. C'est une chose insupportable que le poids de tant de regards appuyés sur vous.

190 Je vacillais donc sur le banc, ne prêtant même plus d'attention au prêtre et au crucifix.

Dans le tumulte qui m'enveloppait, je ne distinguais plus les cris de pitié des cris de joie, les rires des plaintes, les voix du bruit ; tout cela était une rumeur qui réson-
195 nait dans ma tête comme dans un écho de cuivre.

Mes yeux lisaient machinalement les enseignes des boutiques.

---

1. **Pas seulement de froid :** allusion à un mot fameux de Malesherbes, l'avocat de Louis XVI, déclarant au bourreau qui allait exécuter le roi que, si celui-ci tremblait, c'était seulement à cause du froid.

Une fois, l'étrange curiosité me prit de tourner la tête et de regarder vers quoi j'avançais. C'était une dernière bravade de l'intelligence. Mais le corps ne voulut pas ; ma nuque resta paralysée et d'avance comme morte.

J'entrevis seulement de côté, à ma gauche, au-delà de la rivière, la tour de Notre-Dame qui, vue de là, cache l'autre. C'est celle où est le drapeau. Il y avait beaucoup de monde, et qui devait bien voir.

Et la charrette allait, allait, et les boutiques passaient, et les enseignes se succédaient, écrites, peintes, dorées, et la populace riait et trépignait dans la boue, et je me laissais aller, comme à leurs rêves ceux qui sont endormis.

Tout à coup la série des boutiques qui occupait mes yeux s'est coupée à l'angle d'une place ; la voix de la foule est devenue plus vaste, plus glapissante, plus joyeuse encore ; la charrette s'est arrêtée subitement, et j'ai failli tomber la face sur les planches. Le prêtre m'a soutenu. – Courage ! a-t-il murmuré. – Alors on a apporté une échelle à l'arrière de la charrette ; il m'a donné le bras, je suis descendu, puis j'ai fait un pas, puis je me suis retourné pour en faire un autre, et je n'ai pu. Entre les deux lanternes du quai, j'avais vu une chose sinistre.

Oh ! c'était la réalité !

Je me suis arrêté, comme chancelant déjà du coup.

– J'ai une dernière déclaration à faire ! ai-je crié faiblement.

On m'a monté ici.

J'ai demandé qu'on me laissât écrire mes dernières volontés. Ils m'ont délié les mains, mais la corde est ici, toute prête, et le reste est en bas.

165

CHAPITRE XLIX

Un juge, un commissaire, un magistrat, je ne sais de quelle espèce, vient de venir. Je lui ai demandé ma grâce en joignant les deux mains et en me traînant sur les deux genoux. Il m'a répondu, en souriant fatalement, si c'est là 5 tout ce que j'avais à lui dire.

– Ma grâce ! ma grâce ! ai-je répété, ou, par pitié, cinq minutes encore !

Qui sait ? Elle viendra peut-être ! Cela est si horrible, à mon âge, de mourir ainsi ! Des grâces qui arrivent au der- 10 nier moment, on l'a vu souvent. Et à qui fera-t-on grâce, monsieur, si ce n'est à moi ?

Cet exécrable bourreau ! il s'est approché du juge pour lui dire que l'exécution devait être faite à une certaine heure, que cette heure approchait, qu'il était responsable, 15 que d'ailleurs il pleut, et que cela risque de se rouiller.

– Eh, par pitié ! une minute pour attendre ma grâce[1] ! Ou je me défends ! Je mords !

Le juge et le bourreau sont sortis. Je suis seul. – Seul avec deux gendarmes. → Mais la foule est responsable 20 Oh ! l'horrible peuple avec ses cris d'hyène ! – Qui sait si je ne lui échapperai pas ? si je ne serai pas sauvé ? si ma grâce ?... Il est impossible qu'on ne me fasse pas grâce !

Ah ! les misérables ! il me semble qu'on monte l'escalier...

QUATRE HEURES.

---

1. **Une minute pour attendre ma grâce :** allusion à la dernière parole prononcée sur l'échafaud par la comtesse Du Barry, favorite de Louis XV : « Encore une minute, monsieur le bourreau ! ».

NOTE

Nous donnons ci-jointe, pour les personnes curieuses de cette sorte de littérature, la chanson d'argot avec l'explication en regard, d'après une copie que nous avons trouvée dans les papiers du condamné, et dont ce fac-similé[1] reproduit tout, orthographe et écriture. La signification des mots était écrite de la main du condamné ; il y a aussi dans le dernier couplet deux vers intercalés qui semblent de son écriture[2] ; le reste de la complainte[3] est d'une autre main. Il est probable que, frappé de cette chanson, mais ne se la rappelant qu'imparfaitement, il avait cherché à se la procurer, et que la copie lui en avait été donnée par quelque calligraphe[4] de la geôle.

La seule chose que ce fac-similé ne reproduise pas, c'est l'aspect du papier de la copie, qui est jaune, sordide[5] et rompu à ses plis[6].

---

1. **Fac-similé :** imitation exacte d'une écriture ou d'un dessin.
2. **Qui semblent de son écriture :** les critiques ont en général identifié l'écriture des deux vers intercalés à celle d'Hugo.
3. **Complainte :** chanson populaire à thème tragique.
4. **Calligraphe :** personne douée pour écrire à la main.
5. **Sordide :** très sale.
6. **Rompu à ses plis :** dans l'édition originale du roman, le fac-similé était imprimé sur une grande feuille pliée en quatre et insérée dans une pochette collée à la couverture du livre.

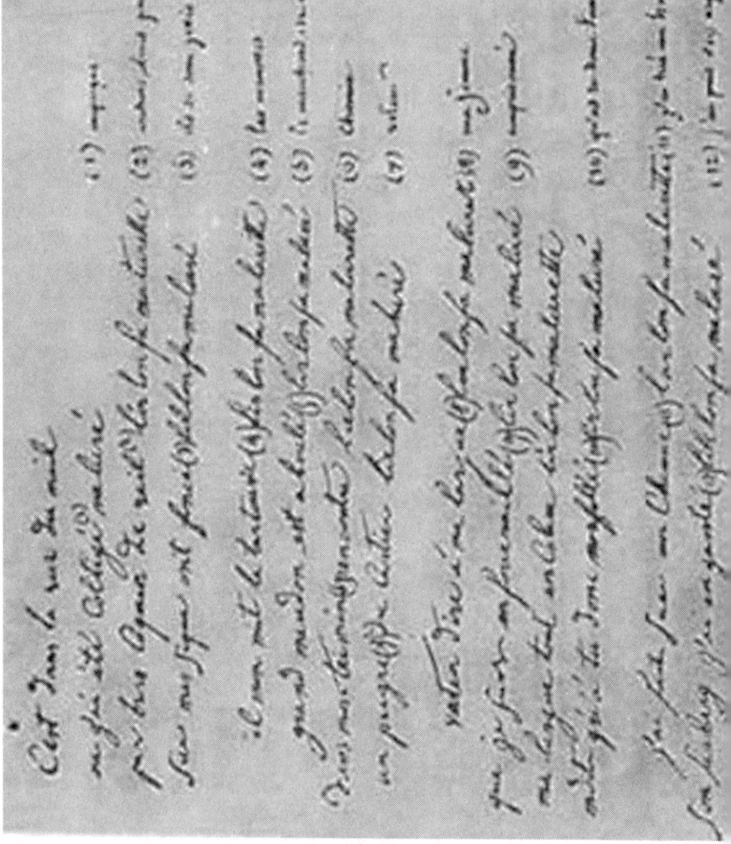

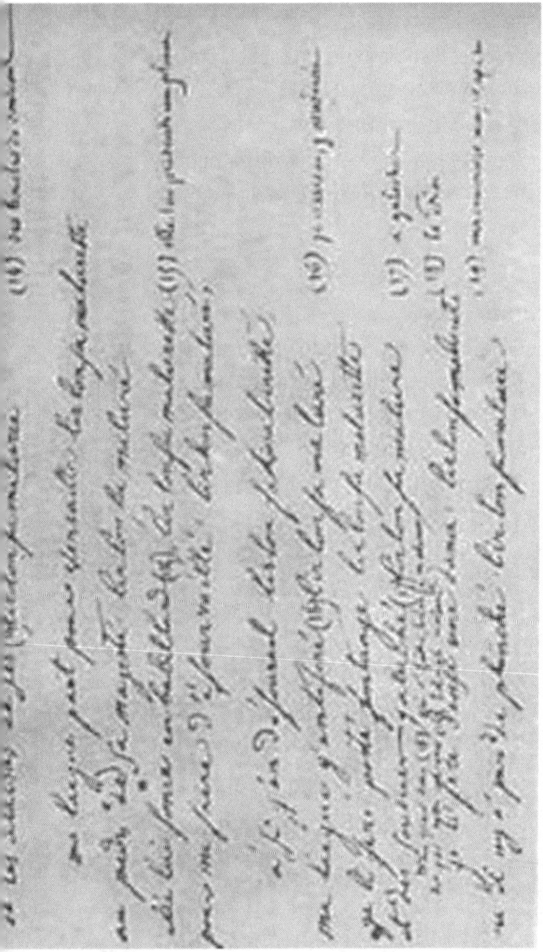

Clefs d'analyse

Chapitres XVIII à XLIX : le dernier jour.

Compréhension

La mise en scène de l'exécution

- Reconstituer le dernier trajet du narrateur, et établir la chronologie de ses derniers moments.

La vie intérieure du condamné

- Les dernières rencontres : relever des éléments de pathétique.
- Les souvenirs d'enfance : en déduire des aspects de la personnalité du narrateur.

Réflexion

Les derniers saluts

- Interpréter le rôle joué par le personnage du « friauche ».
- Observer la présentation des prêtres accompagnant le détenu.
- Analyser l'échec de la rencontre du prisonnier et de sa fille.

L'efficacité d'une écriture en creux

- Expliquer l'absence du chapitre XLVII, « Mon histoire ».

Le scandale de la peine capitale

- Analyser l'attitude du condamné durant ses derniers moments ; en déduire les aspects de l'exécution que Victor Hugo cherche à dénoncer.

À retenir :

La seconde partie du roman relate « le dernier jour » d'un condamné au sens strict : son transport de sa dernière cellule au Palais de justice, ses dernières visites, ses derniers rêves. Scandé par des indications horaires précises, le récit se fait de plus en plus rapide et désorganisé, les cauchemars et les souvenirs alternant avec les moments d'espoir et de révolte. Dans les dernières minutes, le cheminement du narrateur en charrette sous les « cris d'hyène » du peuple et la confrontation avec le bourreau le conduisent à la panique et lui interdisent d'accepter sa peine. Le récit s'interrompt brusquement, sans qu'il ait pu de se résigner ni de faire ses adieux au monde.

Synthèse

Chapitres XVIII à XLIX : le dernier jour.

Un roman sans conclusion

Personnages

La solitude face à la mort

La condamnation à la peine capitale est pour Hugo l'occasion d'une interrogation sur la mort, à la fois politique (l'injustice de l'échafaud) et métaphysique (la difficulté de tout être à accepter sa propre mort). Le texte revient perpétuellement sur la question que se pose le narrateur dès le tout début du roman (reprenant une citation de *Han d'Islande*) : « Les hommes sont tous condamnés à mort avec des sursis indéfinis. Qu'y a-t-il donc de si changé à ma situation ? », question qui en entraîne d'autres : « Qu'est-ce que la mort fait avec notre âme ? Quelle nature lui laisse-t-elle ? Qu'a-t-elle à lui prendre ou à lui donner ? Où la met-elle ? Lui prête-t-elle quelquefois des yeux de chair pour regarder sur la terre et pleurer ? ».

Ces interrogations réapparaissent sous une forme allégorique : le condamné rêve d'une vieille femme incarnant la mort, qui ne répond à aucune question et se contente d'attirer ceux qu'elle rencontre dans les ténèbres. Ainsi, il souffre à la fois de la violence d'une peine qui ne lui laisse en rien le temps de se préparer à son destin et d'une inquiétude plus fondamentale propre à la condition humaine.

Langage

L'écriture de l'inconscient

« Les mots manquent aux émotions », note le narrateur (XLVIII) : l'un des aspects les plus novateurs du roman est la tentative d'approcher au plus près l'expérience vécue par l'usage du monologue intérieur. On trouve ici une analyse précise, quasi médicale, des symptômes de crises d'angoisse (XXXVIII). Le texte constitue un véritable reportage intérieur sur la désorganisation de la conscience et de la raison par la souffrance.

Mais, lorsqu'il évoque les rêves et les obsessions du condamné au fur et à mesure que celui-ci approche de la mort, Hugo plonge au plus profond de l'âme humaine : le retour de la figure de l'araignée ou l'image obsessionnelle de Notre-Dame de Paris, à la fois protectrice et intimidante, dessinent le paysage de ce que nous appellerions aujourd'hui « l'inconscient », c'est-à-dire le domaine des phénomènes psychiques sur lesquels la volonté n'a plus de prise.

Société

La société face à la peine capitale

La seconde partie du roman insiste beaucoup sur la dimension sociale et collective de l'exécution capitale, conçue à la fois comme une routine pour la machine judiciaire et comme un spectacle procurant une forme d'excitation malsaine à la foule.

Chacun des exécuteurs de la peine de mort cherche à se cantonner dans son rôle, refusant d'assumer l'horreur intrinsèque du châtiment : pris séparément, l'huissier, le gardien, le directeur de prison et même le bourreau font preuve d'humanité ou, du moins, d'absence de cruauté (« Ces bourreaux sont des hommes très doux », note avec ironie le narrateur.

En revanche, la foule apparaît comme une marée humaine où les sensibilités individuelles se fondent en une instance surhumaine et monstrueuse. Hugo dénonce ici tant l'appétit de vengeance du peuple (« la populace riait et trépignait dans la boue »), que l'exploitation commerciale du spectacle de la mort (« La journée doit être bonne pour les cabaretiers », remarque le condamné). L'égoïsme individualiste et la cruauté collective constituent ainsi deux formes de déshumanisation aussi atroces l'une que l'autre.

POUR
APPROFONDIR

Genre, action, personnages

Genre et registres

Un roman à thèse

À sa parution en 1829, *Le Dernier Jour d'un condamné* est privé de sous-titre indiquant son genre, puisqu'il se présente comme le manuscrit, réel ou apocryphe, d'un condamné. Lorsqu'il sera réédité comme une œuvre de Victor Hugo, il apparaîtra comme un *roman*. Mais l'origine du fac-similé apparemment authentique d'une chanson de prisonnier qui suit le récit restera mystérieuse.

Relativement bref, *Le Dernier Jour d'un condamné* appartient au registre du « roman à thèse », à savoir une œuvre engagée en faveur d'une cause particulière par le document ou l'exemple qu'elle propose. Hugo déploie deux moyens au service du combat abolitionniste : il présente un témoignage réaliste de la situation carcérale et des conséquences familiales et sociales de la peine de mort, et il suscite l'empathie du lecteur qui s'identifie au héros. Cette relation est favorisée par l'absence d'indications concrètes sur le passé du narrateur et sur le crime qui justifie sa condamnation : rien ne fait obstacle à la sympathie du lecteur pour le personnage. Victor Hugo substitue ainsi à un discours argumentatif un exemple à valeur significative. Comme le dit Myriam Roman, cet exemple vise à « montrer au lieu de démontrer » pour mieux demeurer gravé dans la mémoire des lecteurs.

Une fiction de journal intime

Ce roman s'écrit à la première personne du singulier et au présent, se donnant ainsi l'apparence d'un récit écrit sans préoccupation littéraire, au jour le jour. Est-il pour autant, comme le proclame Hugo dans sa préface, une œuvre « sans modèle » ? Pas véritablement, car il emprunte à nombre de genres non romanesques, comme la confession et le journal intime.

Notons d'abord l'usage du genre littéraire de la confession, puisque, même s'il ne parle pas de son crime, le narrateur se place dans une relation de totale sincérité à l'égard de son lecteur. Cette confession comporte des dimensions issues du genre du roman autobiographique : bien qu'il fasse l'ellipse du récit de la vie antérieure du prisonnier, le roman en évoque certains éléments à travers la narration rétrospective de souvenirs, tels que les amours d'enfance du protagoniste (XXXIII).

Surtout, l'œuvre prend l'apparence d'un journal intime, puisque le récit s'écrit quotidiennement, selon un procédé expliqué par le narrateur lui-même : il évoque « le journal de ses souffrances, heure par heure, minute par minute, supplice par supplice » (VI). Même s'il ne contient pas de dates, ce journal est rendu vraisemblable par Hugo. L'auteur indique en effet des lieux où il aurait été rédigé, insiste sur le quotidien du condamné et la variété souvent désordonnée de ses pensées. Aussi peut-on considérer, comme Jean Rousset, que ce roman est le premier journal fictif (c'est-à-dire imaginaire) de la littérature française : « le recours à la fiction d'un journal intime, du commencement à la fin d'un récit, est une première en France ».

Le monologue intérieur

Ce journal intime fictionnel permet, selon le principe du « roman d'analyse », de plonger dans la psychologie d'un personnage en lui prêtant des sentiments et des pensées que le lecteur peut observer et interpréter à sa guise. Cette analyse psychologique a deux caractéristiques particulières chez Hugo. D'une part, elle s'étend non seulement aux réflexions conscientes du narrateur, mais aussi à ses sensations et ses rêves. D'autre part, elle s'accompagne d'une écriture qui enregistre presque automatiquement le cheminement de la vie intérieure de celui qui « parle ». On nomme cette forme de narration à la première personne « monologue intérieur ». C'est « une expression de la pensée la plus intime, la plus proche de l'inconscient, quant à son esprit », « un discours antérieur à toute organisation logique, reproduisant cette pensée en son aspect naissant et d'aspect tout

venant » qui utilise des « phrases directes réduites au minimum »,
comme l'écrit le premier théoricien du genre, Édouard Dujardin,
en 1931. Cette technique romanesque insiste sur la solitude du
personnage et permet d'observer les mécanismes les plus pro-
fonds qui traversent sa pensée. Elle sert en particulier à montrer
comment l'enfermement dans un cachot construit une prison
intérieure où des obsessions (par exemple celle de la guillotine,
qui devient une véritable personne) et des hallucinations
prennent peu à peu la place des sentiments et des réflexions dans
le « cerveau vide et compulsif » du protagoniste (XII).

Du réalisme documentaire au réalisme fantastique

De même que nous sommes parfois étonnés de la manière très
directe dont l'auteur présente les émotions les plus intimes de
son héros, nous ne pouvons qu'être frappés par le réalisme de sa
peinture de la vie en prison. De la taille exacte de la cellule (« huit
pieds carrés ») à l'usage de « lits de sangles » pour le transport du
condamné aux « moignons », du « grincement rauque des
verrous » à la « redingote » et au « chapeau à trois cornes
déformé » du bourreau, des « massifs barreaux de fer entrecroisés
de la prison » au « visage bourgeonné » du gardien qui offre au
condamné un chiffon imbibé de vinaigre, Hugo utilise tant des
détails qu'il a observés et notés lui-même que des informations
qu'il a tirées de témoignages réels pour nous plonger dans le
monde carcéral, en montrer l'horreur. Le réalisme est en même
temps visuel, sonore et sensitif. Il s'étend aux dimensions sociale,
politique et psychologique du problème de la peine de mort et
l'inscrit dans une actualité contemporaine de la parution du
roman, comme de nombreux détails historiques le précisent : la
prison du *Dernier Jour d'un condamné* est bien celle des années
1830. En outre, les abondantes citations du vocabulaire argotique
(notamment les chansons de bagnard du chapitre XVI) accen-
tuent cette impression de vérité documentaire.

Pourtant, Hugo est loin de s'arrêter à la description factuelle et à
l'observation réaliste. Il cherche à donner toute leur force et leur

résonance aux terribles aspects de l'univers qu'il décrit pour frapper l'imagination du lecteur. Habilement, il utilise le dispositif du récit à la première personne pour attribuer à l'imagination troublée de son personnage tout ce qui, dans le roman, dépasse le réel pour toucher au mythe. Ainsi, vus par le narrateur, les prisonniers ressemblent à des « âmes en peine aux soupiraux du purgatoire qui donnent sur l'enfer » (XIII). La prison se transforme en un « être horrible, complet, indivisible, moitié maison, moitié homme » (XX) : elle devient un élément d'un paysage mythique, à la fois issu de sources livresques (*L'Enfer* de Dante, l'imaginaire romantique de l'échafaud) et des obsessions personnelles de Victor Hugo, telles qu'on les retrouve par exemple dans ses dessins à l'encre. Le rêve visionnaire du narrateur au chapitre XLII en est une autre illustration : bien des passages du roman touchent au fantastique, en teintant le réel d'une dimension surnaturelle.

Dès le chapitre I, Hugo relate un cauchemar de son personnage, qui réveille celui-ci en sursaut. Les frontières qui séparent rêve et réalité deviennent de plus en plus floues au fur et à mesure que le condamné se rapproche de son exécution. Le fantastique naît alors de la manière dont le monde est transformé par les désordres psychologiques du narrateur, qui perd presque la raison : de l'araignée vue au plafond de la cellule à la cathédrale Notre-Dame de Paris, que le narrateur aperçoit sans véritablement la voir lors de son transfert à la Conciergerie, chaque élément du réel acquiert comme une vie autonome. Dans la conscience déréglée du narrateur telle que la dépeint l'écrivain, le monde le plus ordinaire devient l'espace d'un « réalisme fantastique », selon une expression du romancier russe Dostoïevski.

Une veine pathétique

Dans un roman consacré à la douleur d'un homme sur le point de mourir en laissant une fille orpheline, le registre dominant est naturellement le pathétique, qui exprime la souffrance et qui prend la dimension d'un véritable cri de douleur dès la première ligne du roman : « Condamné à mort ! ». Cependant, la présence du pathétique n'est pas directe, du fait de l'absence de commentaire et de jugement d'Hugo dans le récit à la première personne, et de la relative sobriété du protagoniste : il ne se plaint pas, mais s'indigne et transforme sa souffrance en exclamations de rage. En outre, le roman s'achève avant l'exécution, que le lecteur ne peut qu'imaginer. Mais, si elle est indirecte, l'expression de la souffrance n'en est pas moins forte, tant les situations vécues par le personnage sont intenses et suggestives, comme cette terrible rencontre du prisonnier et de sa fille Marie. Même le prêtre et le gendarme « ont versé une larme quand j'ai dit qu'on m'emportât mon enfant », note le narrateur : nous sommes alors proches du mélodrame.

Une dimension tragique

Le registre tragique se différencie du registre pathétique par la présence de l'idée de fatalité, qui confronte l'homme impuissant à des forces surhumaines et le conduit inéluctablement à la catastrophe finale. Bien que la guillotine soit un châtiment humain sans autre nécessité que sociale, la peine de mort acquiert dans le roman d'Hugo la dimension d'une tragédie, ce mot étant d'ailleurs employé dans le titre de la deuxième préface qui fut donnée au roman : *Une comédie à propos d'une tragédie*.

En premier lieu, la peine capitale est à plusieurs reprises envisagée à travers la question existentielle de la mort, et donc comme une sorte d'emblème de la condition humaine (au chapitre II, le narrateur médite sur une citation qui lui revient à la mémoire : « Les hommes sont tous condamnés à mort avec des sursis indéfinis »).

En deuxième lieu, le caractère définitif de la condamnation à mort est représenté dès le début du récit comme un arrêt qu'il semble impossible de combattre, en sorte que l'ensemble du roman fait figure de compte à rebours avant une mort annoncée. Le temps du roman s'accélère au fur et à mesure que les chapitres se raccourcissent, et le narrateur calcule presque à chacun d'eux le temps qui lui reste à vivre – jusqu'au dernier et à l'annonce fatidique de « QUATRE HEURES ». Alors que le passé est l'objet d'une atroce nostalgie, l'existence du condamné est celle d'une vie sans futur – chaque évocation de l'avenir suscitant une atroce ironie : au chapitre XXII, le narrateur évoque par exemple « une journée qui durera plus que moi » et, au chapitre XXXIII, les points d'exclamation de rage dissimulent une infinie amertume : « C'est une soirée que je me rappellerai toute ma vie. Toute ma vie ! »

En troisième lieu, à cette temporalité s'ajoute l'omniprésence de rêves, qui sont la prémonition du futur, et de symboles tragiques. La hantise des autres condamnés dont les « noms fatals étaient écrits avec du feu sur le mur noir » de la cellule, autant que le souvenir des hommes célèbres décapités place de Grève (Louis XVI, Robespierre), s'associe à des lieux marqués par le destin pour construire un espace tragique. Le narrateur évoque ainsi le « fatal quai » qui conduit place de Grève, place qu'il considère plus loin comme « un lieu fatal, un centre d'attraction, un piège » en insistant sur la dimension symbolique de la géographie parisienne.

Enfin, ni la visite de sa fille, qui lui semble condamnée au malheur parce que future orpheline, ni l'espoir d'une grâce accordée par le roi – qui pourrait sauver le condamner mais qui reste toujours invisible et tel un dieu absent –, attendue jusqu'à la dernière minute, ni les discours des prêtres, ni même l'écriture du journal ne peuvent apporter de soulagement au sentiment de tragique absurdité de l'existence, et le narrateur s'en va à l'échafaud sans aucun apaisement, dans la rage et la terreur.

Le mélange des genres : humour noir, poésie et polémique

La théorie du théâtre développée dans la Préface de *Cromwell* justifiait, voire encourageait le mélange des genres et des

Genre, action, personnages

registres comique et tragique, afin de rendre compte des aspects souvent contradictoires de l'existence humaine ainsi que de l'histoire. Il paraît important de noter la présence de nombreux passages comiques dans *Le Dernier Jour d'un condamné* : comique verbal du discours du « friauche » au chapitre XXIII et comique de situation (l'apparente sympathie du compagnon de souffrance se transforme en habile manière de voler au condamné sa redingote), comique de caractère du gendarme imbécile et joueur superstitieux évoqué au chapitre XXXII, qui manque de peu de laisser échapper le narrateur par sa bêtise. À cette grotesque comédie humaine des prisons s'ajoute une satire des milieux aristocratiques, intellectuels et judiciaires dans *Une comédie à propos d'une tragédie*, qui adopte le ton d'une farce cruelle. Chaque personnage y incarne un type, selon un principe inspiré des comédies de Molière, pour montrer l'égoïsme commun aux milieux dominants.

Souvent cet humour est teinté d'ironie douloureuse et cruelle, la tragédie étant comme l'autre face de l'incongruité humoristique de certaines situations. Ainsi, lors du transfert du condamné, le prêtre console par exemple l'huissier d'avoir perdu son tabac (XXII) en en oubliant de s'occuper du prisonnier. Après avoir constaté avec une ironie macabre que, dans quelques heures, « il serait guéri », celui-ci ne peut s'empêcher, toujours sur le chemin de l'échafaud, ce jeu de mots relevant de l'humour noir en réponse à la foule qui crie « chapeaux bas ! » : « j'ai ri horriblement aussi, moi, [...] eux les chapeaux, moi la tête » (XLVIII).

Même le registre poétique apparaît dans le roman. La présence d'un lyrisme amoureux, dans l'évocation des souvenirs du narrateur au chapitre XXXIII, introduit une tonalité mélancolique et élégiaque (plainte liée au regret) proche du recueil des *Orientales*. Le mélange des genres nuance la tragédie de registres variés sans pourtant lui enlever quoi que ce soit de sa force. Bien au contraire : Victor Hugo invite toutes les ressources de la littérature, tous les registres et tous les procédés de style à se mettre au service de la dénonciation du crime social qu'est pour lui la peine de mort. Ainsi, la forte dimension argumentative de la préface donnée en 1832 par Hugo, d'allure très polémique, complète parfaitement la manière dont le récit lui-même suggère, par un exemple concret, une vérité générale.

Action et personnages

L'action : un compte à rebours implacable

L'action, dans *Le Dernier Jour d'un condamné*, est organisée selon le déroulement implacable d'une exécution dont la décision est annoncée au premier chapitre du roman, de multiples indications temporelles marquant les étapes avec précision. Le temps du récit est donc linéaire et clos, même s'il relate rétrospectivement, durant les cinq premiers chapitres, le procès et le transfert du condamné, et même s'il fait la part belle entre les chapitres XXXV et XXXVII aux souvenirs d'enfance du narrateur. L'ensemble du récit s'étale sur une semaine, une durée que l'on peut déduire du chapitre II (le délai entre le verdict du procès et son exécution est de six semaines, et le procès a eu lieu cinq semaines auparavant).

Le récit de cette dernière semaine est discontinu : il adopte un rythme heurté et alterne des chapitres d'une longueur très inégale, dont l'enchaînement n'a de logique que chronologique. De même que les autres perceptions du condamné, le sentiment du temps semble morcelé, émietté en des chapitres qui s'étendent parfois très longuement sur des détails terribles (le ferrage des forçats au chapitre XIII) ou qui, au contraire, se condensent brusquement dans des moments de désespoir, comme le chapitre XLVI par exemple.

À proprement parler, le « dernier jour du condamné » indiqué par le titre débute à six heures du matin au chapitre XVIII, lorsque l'on annonce que « l'exécution est pour aujourd'hui ». Cette dernière journée avance d'ailleurs à un rythme de plus en plus accéléré, tout en donnant l'impression d'un temps dilaté. Sept chapitres sont consacrés à la matinée du prisonnier, de son réveil à six heures jusqu'à environ midi (XVIII à XXV). Mais dix-sept chapitres (XXVI à XLIII) concernant le déjeuner, la sieste et les dernières visites qui lui sont faites, se déroulent dans l'intervalle de midi à quinze heures, et cinq chapitres relatent la dernière heure du condamné (XLIV à XLIX). Le dernier se clôt par l'annonce de « QUATRE HEURES », c'est-à-dire de l'heure de l'exécution.

Un narrateur énigmatique

Hugo veut « plaider la cause d'un condamné quelconque, exécuté un jour quelconque, pour un crime quelconque » (préface), et sa stratégie est donc de taire aussi bien le nom que l'histoire de son héros, au prix de la disparition du chapitre qui aurait dû contenir le récit que le narrateur a rédigé pour sa fille. Mais le lecteur peut se faire un portrait du héros à partir des informations qu'il recueille tout au long du livre.

Ainsi, le narrateur est « raffiné par l'éducation » (chapitre I). Il parle latin, a lu Shakespeare et a fréquenté le théâtre (XVI), genre dont il se sert pour décrire la vie des prisonniers (« [...] après la visite des geôliers, le ferrage. Trois actes à ce spectacle », note-t-il au chapitre XIII). Il est si différent des autres prisonniers qu'il est traité de « marquis » par le « friauche » au chapitre XXIII. C'est un amoureux passionné et un père tendre, qui « baisait le cou blanc et parfumé » de sa fille. Par bien des aspects, sa sensibilité fait de lui un poète et l'*alter ego* d'Hugo. Ces traits positifs rendent encore plus incompréhensible le crime qu'il a commis, dont nous savons seulement qu'il s'agit d'un meurtre. Celui qui a été tué est simplement évoqué comme une sorte de double de celui qui va mourir, c'est « l'autre » (XXXIV), l'auteur privant le lecteur de tout élément d'interprétation (le condamné lui-même s'étonne à plusieurs reprises de son propre sort, par exemple au chapitre XXXIV ou au chapitre XXVI, où il en vient à se demander : « [...] est-il bien vrai que je vais mourir avant la fin du jour ? Est-il bien vrai que c'est moi ? »).

Genre, action, personnages

Ce tempérament sensible et affectif rend, en tout cas, aisément visible la transformation qui s'opère en prison : « La mort rend méchant » (XXIV). Elle prive le prisonnier de toute morale (« J'avais plus de remords avant ma condamnation », constate le narrateur au chapitre XXXIV), le rend violent et injuste (« [...] mon souffle de condamné [...] gâte et flétrit tout », dit-il au chapitre XXX) et le conduit à s'autodétruire psychologiquement avant d'être exécuté réellement : « Je suis bon pour ce qu'ils vont faire », convient-il au chapitre XLIII, après avoir rencontré sa fille.

Les figures féminines du roman

« Elle est fraîche, elle est rose, elle a de grands yeux, elle est belle », admire le narrateur au chapitre XLIII : Marie, sa fille, qui apparaît à la fin du roman pour une dernière visite ainsi que dans les rêves du condamné, constitue l'un des rares personnages féminins. Avec Pepita, amour de jeunesse (XXXIII), elle est aussi un des seuls personnages désigné par son prénom. Mais, malgré ce nom qui évoque la maternité consolatrice de la Vierge Marie, sa présence n'apporte que souffrances à son père : elle le renie véritablement en ne parvenant pas à le reconnaître, et le condamne elle aussi à mort symboliquement en déchiffrant « l'arrêt » de sa condamnation.

Par opposition, la femme du prisonnier est absente ; sa mère, malade. Toutes les deux semblent condamnées à mort avec le héros : « ma pauvre vieille mère [...] a soixante-quatre ans, elle mourra du coup » et « ma femme est déjà d'une mauvaise santé et d'un esprit faible, elle mourra aussi. À moins qu'elle ne devienne folle. » Ainsi, contrairement aux femmes évoquées par les chansons argotiques des bagnards, objets de fantasmes ou simplement de rêves mélancoliques, celles qui entourent le condamné du roman d'Hugo le laissent muré dans une solitude tragique que rien ne vient nuancer.

Genre, action, personnages

Le « friauche » et les autres prisonniers

Pas plus que le monde féminin, le milieu des autres prisonniers n'apporte de soutien au narrateur. Au chapitre XII, il déchiffre les noms de ses prédécesseurs condamnés, mais il n'éprouve pas de soulagement à se retrouver parmi des parricides ou des meurtriers d'enfants. S'il ne rencontre pas, contrairement à Claude Gueux dans le roman éponyme écrit quelques années après par Victor Hugo sur le même sujet, de compagnon de cellule ou d'ami en prison, c'est que tout, dans l'univers carcéral, semble être fait pour déshumaniser les détenus. Ceux-ci sont vus collectivement comme « une foule de visages maigres et blêmes, pressés les uns au-dessus des autres, comme les pierres d'un mur » (XIII). Le seul prisonnier véritablement individualisé du récit, le « friauche », condamné à mort rencontré dans le Palais de justice au chapitre XXIII, est une figure de cauchemar : « un homme d'environ cinquante-cinq ans, de moyenne taille » ; « ridé, voûté, grisonnant » ; « à membres trapus » ; « avec un regard louche dans des yeux gris, un rire amer sur le visage » ; « sale, en guenilles, demi-nu, repoussant à voir ». Victime de la société autant que coupable (il n'a fait que voler du pain et a été condamné à mort pour avoir voulu s'évader du bagne), le friauche n'offre pourtant au protagoniste que l'apparence de sa sympathie ; il lui vole sa redingote en faisant mine d'être charitable. Il illustre l'absence de solidarité des misérables entre eux et l'inaptitude des condamnés à toute réelle communication : il comprend que le narrateur ait envie de se recueillir, mais ne peut lui offrir d'autres discours de consolation que l'argot vulgaire et à peine compréhensible des bagnards.

Un tableau sévère de la société bourgeoise

En arrière-plan du roman se dessinent quelques silhouettes de personnages secondaires : les juges, les avocats, les gendarmes, les « gardes-chiourme ». La vision qu'en donne Hugo est sévère ; elle rejoint la satire proposée par *Une comédie à propos d'une tragédie* : la société est indifférente au sort de ceux qu'elle condamne. Les jurés sont épuisés d'avoir délibéré toute la nuit, l'avocat de la défense sort d'un bon déjeuner, l'huissier est affolé d'avoir perdu son tabac, le bourreau met toute son énergie à assurer le bon fonctionnement de la guillotine : le monde continue de tourner, comme si l'exécution capitale programmée ne devait pas déranger sa routine et ses préoccupations matérialistes. Plus celle-ci approche, plus l'appareil judiciaire se montre prévenant : on apporte au condamné du papier et une plume, on lui offre un ultime bon repas (« une table délicate et recherchée », chapitre XXX), on s'assure de sa bonne santé ; le directeur de la prison lui demande même en quoi il pourrait « être agréable et utile » et appelle avec respect le condamné « Monsieur » (XIX) le jour où il lui annonce la date fatidique. Les deux prêtres que le narrateur rencontre tour à tour (le second accompagnera, selon un rite traditionnel, le condamné à l'échafaud pour essayer d'obtenir le salut de son âme) sont presque aussi indifférents. Si le premier religieux débite un discours théologique tout fait, que le narrateur ne peut que rejeter, l'aumônier de la prison est « excellent et charitable », et sans doute sincère dans sa volonté d'apporter aide morale et consolation. Mais il a « l'air de réciter une leçon déjà vingt fois récitée, de repasser un thème, oblitéré dans sa mémoire à force d'être su », car ce « bon vieillard est blasé » (XXX), et il a perdu le sens de la révolte devant la cruauté humaine qui devrait animer un vrai serviteur de Dieu.

Ces « égards [...] qui sentent l'échafaud » (V), comme le fait remarquer lui-même, avec amertume et ironie, le narrateur, sont particulièrement insupportables, car ils témoignent d'une odieuse hypocrisie sociale que l'écrivain souligne ainsi pour mieux la dénoncer. On voit ici l'habileté du procédé : plutôt que de s'en prendre aux mauvais traitements faits aux condamnés, c'est au cruel égoïsme et à l'indifférence bien-pensante de la société bourgeoise de son temps qu'Hugo s'attaque.

L'œuvre : origines
et prolongements

Un roman composé lors d'une crise intérieure

LA RÉDACTION du *Dernier Jour d'un condamné* date de 1828, année difficile pour Victor Hugo, qui perd brutalement son père en janvier. C'est alors aussi qu'il prend conscience de la mésentente qui a affecté ses parents dans son enfance (pour de nombreux critiques, l'absence de figures positives féminines dans ce roman témoignerait de son inquiétude sur la famille à cette période). L'écrivain se consacre d'abord aux *Orientales*, recueil poétique traversé par la tristesse et le thème de l'isolement, et réfléchit à la rédaction d'un grand roman historique, *Notre-Dame de Paris*. Il se lance brusquement, le 14 octobre, dans la rédaction du *Dernier Jour d'un condamné*, à la suite de la lecture du compte-rendu d'un ouvrage de Charles Lucas sur les nécessaires réformes du système pénal. Mu par une forte exigence intérieure, Victor Hugo rédige plusieurs chapitres par jour, et l'œuvre est achevée la nuit de Noël (Hugo a indiqué sur son manuscrit « nuit du 25 Xbre[1] au 26 – 3h du matin »). En janvier 1829, il rajoute le chapitre XL, consacré au roi, sur les épreuves du roman (c'est-à-dire les essais de l'imprimeur avant la parution définitive). Une pétition pour l'abolition de la peine de mort circulant dans Paris, Hugo presse son éditeur. Le livre paraît anonymement en février, accompagné d'un fac-similé de chanson de condamné en argot.

---

1. À l'époque, il arrive parfois qu'on note les mois de l'année en chiffres romains suivis de quelques lettres, et non en toutes lettres.

L'œuvre : origines et prolongements

À la racine de l'œuvre :
le traumatisme de la barbarie judiciaire

« **L'**ÉCHAFAUD est une vision », écrit Victor Hugo dans *Les Misérables* : le thème de la punition et du châtiment est chez lui une véritable obsession. Il faut en trouver les sources profondes dans les différentes rencontres que l'auteur a faites avec la peine capitale. À l'âge de cinq ans, alors qu'il se trouvait avec son père à Avellino (en Italie), il a sans doute contemplé pour la première fois des pendus. À dix ans, en Espagne, il rencontre le cortège d'un condamné et des pénitents qui l'accompagnent. La même année, il assiste à l'arrestation de son parrain et précepteur (qui était par ailleurs l'amant de sa mère), le général Lahorie, qui sera exécuté peu après. La rencontre du condamné et de sa fille Marie est sans doute l'écho de ce souvenir, puisque la mère d'Hugo lui fit lire la condamnation qui venait de frapper son parrain. Âgé de seize ou dix-sept ans, il est traumatisé par le supplice d'une femme marquée au fer rouge en public (il racontera l'épisode trente ans après dans *Actes et paroles II*) et il sera plus tard frappé par une autre scène de torture, le terrible spectacle du ferrage de bagnards (que l'on retrouve au chapitre XIII). Peu après, en 1820, il est témoin de l'exécution de Louvel, l'assassin du duc de Berry.

MAIS, COMME LE RELATE la préface de 1832, c'est l'exécution d'Ulbach (14 octobre 1827), meurtrier par jalousie amoureuse, auquel Victor Hugo s'est sans doute identifié, qui pousse l'auteur à écrire contre la peine de mort (il commence son roman non le lendemain, mais un an après l'exécution du jeune homme, et le nom du meurtrier apparaît à côté d'autres condamnés célèbres dans l'œuvre). Si l'écrivain n'a pas assisté à l'exécution, il a eu tout loisir de l'imaginer à partir des préparatifs de mise à mort qu'il a découverts en traversant la place de Grève. D'après Adèle Hugo, son mari a été si frappé par la vision de l'installation de la machine de mort et des essais effectués par le bourreau (qui a dû graisser les rainures de la

L'œuvre : origines et prolongements

guillotine car la lame glissait mal, détail que l'on retrouve au chapitre XXVIII) qu'il s'est alors décidé concrètement à s'engager pour l'abolition de la peine capitale par la rédaction d'un roman. En outre, Victor Hugo a pu lire le compte-rendu précis de cette exécution dans *La Gazette des tribunaux* et a sans doute noté un détail donné par ce quotidien : Ulbach avait commencé à écrire la première page d'un récit de sa vie.

La présence des souvenirs

Le roman se nourrit d'autres souvenirs très nets, en particulier ceux des premières amours du poète adolescent, « des événements dont je me rappellerai toute ma vie », comme il est dit au chapitre XXXIII. Celui-ci contient en effet de nombreux éléments empruntés au jardin des Feuillantines, « sous le sombre dôme du Val-de-Grâce », jardin idéalisé où Hugo a passé son enfance et rencontré sa future épouse, Adèle Fouchet (le lieu apparaît d'ailleurs à la même époque dans *Les Orientales*). À ces réminiscences, d'autant plus fortes et émouvantes qu'elles sont racontées au présent de l'indicatif, s'ajoutent des souvenirs d'Espagne : « Pepita », la jeune fille andalouse « brune et dorée » évoquée dans ce même chapitre, n'est autre que le nom de la fille du marquis de Monte-Hermosa, amie d'enfance du poète lorsqu'il séjourna à Madrid.

Plus généralement, le récit possède une forte dimension autobiographique : le jeune homme de bonne famille, à la psychologie hantée par la culpabilité et par d'atroces interrogations sur le sens de la vie, s'identifie par de nombreux traits à l'auteur du roman. Le mystère du passé du personnage n'interdit pas de tels rapprochements. Le narrateur est parisien, il possède les mêmes références littéraires qu'Hugo (Dante ou Shakespeare, évoqués au chapitre XII), a fréquenté le théâtre dans sa jeunesse, parle latin mais ne comprend pas l'argot (il doit l'apprendre au chapitre V) ; il est marié et a une fille du même âge que Léopoldine ; et il est hanté par des cauchemars qui sont ceux d'Hugo (d'après la fille de celui-ci, le romancier faisait souvent le même terrible rêve que celui de son personnage au chapitre XLIII).

Les sources documentaires d'Hugo

NOTONS TOUT D'ABORD les connaissances philosophiques et juridiques d'Hugo : les réflexions de Voltaire, de Montesquieu, de Bentham et surtout du marquis de Beccaria, Italien du XVIIIe siècle auteur du traité *Des délits et des peines* (1764), qui demande plus de mesure dans l'application de la peine de mort, fournissent de nombreux raisonnements en faveur de l'abolition de la peine capitale. Une argumentation plus contemporaine est également issue des enquêtes sur le système pénitentiaire de l'avocat Charles Lucas (qui est nommé en 1830 inspecteur général des prisons). Dans son essai intitulé *Du système pénal et du système répressif en général. De la peine de mort en particulier*, paru en 1827, celui-ci accumule des arguments à la fois théoriques et pratiques contre l'utilité de la peine de mort, et propose au contraire une modernisation des prisons.

HUGO CONNAÎT ÉGALEMENT les arguments de ses adversaires, et en particulier ceux de Joseph de Maistre, partisan réactionnaire du châtiment exemplaire. Celui-ci a théorisé, dans *Les Soirées de Saint-Pétersbourg* (1821), sa valeur de sacrifice expiatoire : la mise à mort par le bourreau de sa victime, coupable ou innocente, est une manière d'expier le péché originel commis par les hommes selon la Bible.

SUR LE PLAN DES DÉTAILS CONCRETS, Hugo se fonde sur sa connaissance intime de Paris, sur ses propres visites à la prison de la Conciergerie, sur des sources livresques telles que les célèbres *Mémoires* de Vidocq (1828) ainsi que sur une masse de renseignements qu'il a commencé à collecter dès 1824 en s'intéressant aux conditions de vie des bagnards de Toulon, et

L'œuvre : origines et prolongements

qu'il ne cessera de rassembler durant toute sa vie, même après la parution du *Dernier Jour d'un condamné*.

Pour figurer la psychologie d'un prisonnier condamné à mort, comme la vie quotidienne de celui-ci, l'auteur s'appuie également sur des témoignages, au point d'avoir été accusé d'avoir plagié deux journaux intimes – soupçons qu'il réfute d'ailleurs dans sa préface de 1832 en déclarant s'être simplement inspiré de son expérience personnelle. Du journal d'Antoine Viterbi paru dans la *Revue britannique* en 1824, et de celui d'un autre condamné publié par *Le Globe* (journal américain) en 1828, Victor Hugo retient les observations sur les symptômes physiques et psychiques ressentis par ces prisonniers (hallucinations, brusques changements d'humeur). Il s'inspire également d'éléments de style propres à ces journaux de prison, comme une écriture « sténographique » (Myriam Roman), c'est-à-dire réduite à des notations discontinues et mécaniques, pour témoigner du désespoir et du vide intérieur de son personnage.

Trois éditions, trois préfaces

En février 1829, l'édition originale du *Dernier Jour d'un condamné* paraît sans nom d'auteur, selon une pratique courante de l'Ancien Régime, mais accompagnée d'une première préface qui disparaîtra dans les éditions ultérieures. Dans ce texte, le romancier, resté donc caché, feint de s'interroger sur l'origine de « la liasse de papiers jaunes et inégaux » qui est supposée constituer un manuscrit rédigé par un vrai condamné. Néanmoins, il suggère que l'auteur du récit est peut-être seulement un « rêveur occupé à observer la nature au profit de l'art, un philosophe, un poète » qui se serait mis à la place d'un condamné imaginaire ; il laisse donc le lecteur décider entre les deux hypothèses. À la sortie de l'ouvrage, on démasqua bien vite la supercherie et le nom du véritable écrivain.

L'œuvre : origines et prolongements

LE ROMAN CONNAÎT un grand succès polémique, et il doit être réédité dès la fin du mois de février 1829. Le nom de Victor Hugo n'apparaît toujours pas mais, à l'occasion de cette première réédition, il insère au début du livre une courte pièce intitulée *Une comédie à propos d'une tragédie*. Cette sorte de préface théâtrale suggère encore plus clairement l'origine du texte, puisqu'elle met en scène un jeune auteur dramatique qui a tous les traits de Victor Hugo, qui préconise comme lui le mélange des genres et dont le nom est « aussi difficile à retenir qu'à prononcer » car « il y a du goth, du wisigoth, de l'ostrogoth dedans ». Ce texte, qui fait la satire de l'institution judiciaire, rapproche ainsi le combat politique du roman du combat esthétique mené par la jeune génération romantique.

PUBLIÉE DANS LE CONTEXTE politique troublé des débuts de la monarchie de Juillet, la réédition de l'œuvre en 1832 permet à Victor Hugo de signer de son nom et de rendre explicites les objectifs du récit par l'ajout d'une autre préface. Celle-ci définit le roman comme « un plaidoyer pour l'abolition de la peine de mort » ; elle explique à la fois les raisons de l'implication personnelle de l'auteur dans la rédaction de son ouvrage et l'urgence historique de l'abolition. Victor Hugo y mène un discours argumentatif aussi enflammé qu'habilement calculé, usant d'arguments pratiques, philosophiques, sociologiques et juridiques contre la peine capitale. Avec cette troisième préface, comme l'écrit Myriam Roman, « *Le Dernier Jour d'un condamné* prend place désormais dans un discours ancré dans le temps présent ».

Réactions des contemporains : un parfum de scandale

À SA PARUTION, l'œuvre fait scandale, sur les plans politique et littéraire ensemble. Si la réaction des milieux conservateurs était prévisible, nombre de critiques et d'écrivains reprochent

L'œuvre : origines et prolongements

à Hugo d'avoir mis la littérature au service d'un engagement politique – rares sont ceux qui, comme Alfred de Vigny, lui témoignent au contraire leur admiration. Le célèbre critique Jules Janin trouve ainsi « atroce » le réalisme de la peinture hugolienne de la vie en prison, « une agonie de trois cents pages ». Dans un autre article, Janin doute de la crédibilité du personnage, et reproche « je ne sais quoi de froid et de compassé » dans un récit qui lui semble produit par « observateur placé en dehors de la situation » et non par un vrai condamné.

UNE AUTRE CRITIQUE intéressante est celle du *Journal des débats*, anonyme, mais peut-être rédigée par le conteur Charles Nodier, ami d'Hugo, qui s'en prend au caractère abstrait d'un prisonnier sans nom ni histoire : « Qu'est-ce, après tout que ce condamné ? C'est un être abstrait qui se creuse et s'examine en tout sens [...]. On est pour cet être qui ne ressemble à personne, et qui souffre avec tant de science et d'analyse. »

BALZAC, dans *Le Curé de campagne*, résume bien le point de vue général de l'opinion, choquée par la noirceur du tableau et sceptique vis-à-vis de l'utilité du roman : « *Le Dernier Jour d'un condamné*, sombre élégie, inutile plaidoyer contre la peine de mort. » La polémique accroît le succès de l'œuvre mais, blessé par la critique, Hugo s'empresse de répondre par *Une comédie à propos d'une tragédie*, qui raille les objections d'un « philosophe » et d'un « poète élégiaque » et défend le roman à la fois sur le plan esthétique et sur le plan idéologique.

De Claude Gueux *aux écrits politiques d'Hugo :* la poursuite d'un combat

DÈS 1834, un second roman sur ce thème, *Claude Gueux*, reprend nombre d'aspects du *Dernier Jour d'un condamné* : il présente les réflexions d'un prisonnier condamné au gibet

L'œuvre : origines et prolongements

pour avoir volé afin de nourrir sa famille, ses dialogues avec Albin, un codétenu, et avec le directeur de la prison. Inspiré d'une histoire vraie relatée par *La Gazette des tribunaux*, le roman, récit continu d'une trentaine de pages, est moins élaboré et plus traditionnel que *Le Dernier Jour d'un condamné*. C'est un long discours argumentatif qui insiste en particulier sur les explications sociales du crime, le rôle de l'instruction scolaire et de l'éducation religieuse. Ce roman s'adresse directement au pouvoir politique : « cerveau bien fait, cœur bien fait [...], le sort met [Claude Gueux] dans une société si mal faite qu'il finit par voler ; la société le met dans une prison si mal faite qu'il finit par tuer », explique Hugo. *Les Misérables*, en particulier à travers le personnage de Jean Valjean, reviennent longuement sur cette terrible logique de la misère : derrière la critique du système judiciaire, c'est toute la société que le romancier remet alors en question.

Hugo poursuivra son combat en s'engageant dans l'arène politique : il prononcera de nombreux plaidoyers en faveur de l'abolition de la peine de mort, dont un important discours devant l'Assemblée constituante de 1848, et consacrera une partie de sa vieillesse à défendre les révolutionnaires de la Commune passibles de peine de mort ou de déportation. Souvent, il s'engagera directement pour la défense de condamnés à mort qu'il essayera de sauver, tel John Charles Tapner, condamné à la pendaison pour avoir cambriolé et incendié une maison après avoir tué sa propriétaire sur l'île anglo-normande de Guernesey, où Victor Hugo était en exil, ou encore John Brown, militant anti-esclavagiste américain condamné et exécuté pour son combat politique. La défense de cette cause fera connaître l'écrivain dans le monde entier et deviendra une composante essentielle du « mythe Hugo ».

L'œuvre : origines et prolongements

Un homme face à la mort :
les lectures modernes du roman

MALGRÉ SON SUCCÈS CRITIQUE MITIGÉ, *Le Dernier Jour d'un condamné* devient une des œuvres les plus populaires d'Hugo, traduite en de nombreuses langues du vivant même de son auteur. C'est dans la littérature russe que l'on trouve ses échos les plus forts. Dostoïevski, qui a découvert Hugo durant son adolescence et a fait traduire en russe *Le Dernier Jour d'un condamné* par son frère, lui accorde une place déterminante. Il apparaît dans *Souvenirs de la maison des morts* (1862), dans *Crime et châtiment* (1866) et surtout dans *L'Idiot* (1869). Ce dernier roman rend, dans sa préface, un hommage appuyé au génie littéraire d'Hugo. Il reprend aussi une large partie du plaidoyer hugolien contre la peine de mort, qu'il met dans la bouche de son héros, le Prince Mychkine – plaidoyer auquel Dostoïevski était d'autant plus sensible qu'il a été lui-même condamné à mort pour des raisons politiques en 1849, et qu'il n'a échappé que de justesse à l'exécution.

UN AUTRE AUTEUR d'origine russe, Nabokov, reprend sur un mode parodique et onirique le thème de la dernière nuit avant l'exécution, en mettant en scène dans *Invitation au suicide* (1938) un personnage nommé Cincinnatus C., dont les derniers moments empruntent nombre de détails à ceux du personnage d'Hugo. On reconnaît également la forte influence d'Hugo dans *Les Sept Pendus* de Leonid Andreiev (1871-1919). Dans le domaine français, une œuvre du XXe siècle se distingue par sa parenté avec le récit hugolien : *L'Étranger* d'Albert Camus, dont la deuxième partie relate les réflexions d'un condamné à mort, Meursault, dans les jours qui précèdent son exécution. Contrairement à d'autres textes où Camus s'en prend directement à la guillotine, *L'Étranger* n'est pas à proprement parler un roman contre la peine de mort, dans la mesure où Meursault va au-devant de son exécution avec sérénité et presque satisfaction. Mais le roman de Camus utilise la même forme que celle du *Dernier Jour d'un condamné* : le monologue intérieur.

Victor Hugo, inventeur de formes

Pᴏᴜʀ ʟᴀ ᴄʀɪᴛɪQᴜᴇ littéraire contemporaine, qui a redécouvert depuis les années 1960 le chef-d'œuvre de jeunesse d'Hugo, l'œuvre est l'occasion d'une triple innovation. C'est, tout d'abord, l'invention d'une forme de discours original, qui ne sera véritablement utilisée par la suite que par les romanciers du xxᵉ siècle (James Joyce, Virginia Woolf) : le monologue intérieur. Celui-ci nous livre les pensées du héros avant même qu'elles soient organisées par la raison, et exprime la souffrance autant par la description des conditions de vie du condamné que par la prosodie (c'est-à-dire la sonorité des phrases) même du roman. « Chaque phrase fait la reproduction prosodique [...] du thème profond, le désir de la vie et l'horreur de la mort », écrit Henri Meschonnic, qui parle de l'œuvre d'Hugo comme de l'alliance d'un récit et d'un « cri ». À cette invention s'ajouterait, selon le critique Jean Rousset, la naissance d'un genre nouveau, le journal intime, qui voit ici sa première utilisation littéraire. Enfin, la conception du héros de roman connaît ici une révolution. « Autrefois, car il me semble qu'il y a plutôt des années que des semaines, j'étais un homme comme un autre homme », réalise au chapitre I le narrateur : nombreux sont les critiques, tels Jean Massin, France Vernier ou Myriam Roman, qui ont insisté sur les renouvellements audacieux de la représentation du personnage romanesque, confronté à un absolu isolement et à une terrible déshumanisation, à une scission radicale entre le moi et les autres, et qui n'est plus un véritable individu mais se trouve réduit à une simple parole ou à un simple cri.

L'œuvre
et ses représentations

Les illustrateurs

La Charrette du condamné de Louis Boulanger (1829)

Certaines séquences du *Dernier Jour d'un condamné* (le ferrage des bagnards, le transport du condamné dans la charrette et, évidemment, l'exécution) possèdent un caractère visuel fortement spectaculaire. Victor Hugo, dont le « Cénacle » romantique comptait de nombreux peintres, comme Delacroix, a sans doute composé son roman en ayant à l'imagination les représentations d'exécutions faites par ses amis, telles que le *Supplice de Mazeppa* de Louis Boulanger, exposé en 1827 au Salon (une exposition annuelle très célèbre depuis le XVIIIᵉ siècle), et qui le toucha tellement qu'il lui consacra un poème des *Orientales*. Familier d'Hugo, Louis Boulanger donne d'ailleurs à la même époque une représentation frappante de *La Charrette du condamné*, où l'on retrouve bien des éléments expressifs du roman : l'atmosphère tragique, la curiosité malsaine de la foule, le sermon inutile et dérisoire du prêtre. Et, sans se référer directement au roman, nombreuses sont les œuvres picturales importantes du XIXᵉ siècle évoquant la prison et mettant en scène des exécutions capitales, des célèbres *Fusillés* de Goya (1814) au *Condamné* d'Odilon Redon (1881), qui s'associent aisément dans notre mémoire au combat hugolien contre la peine de mort.

Victor Hugo illustrateur de Victor Hugo : Ecce de Victor Hugo (1854)

Les plus belles transpositions picturales des thèmes évoqués par *Le Dernier Jour d'un condamné* sont peut-être celles d'Hugo lui-même, qui fut sa vie durant un dessinateur exceptionnel. Il a laissé plus de 3 500 dessins, en majorité à la plume et au lavis d'encre brune, parfois rehaussés de fusain, d'aquarelle, de gouache. « Victor Hugo, s'il n'était pas poète, serait un peintre de premier ordre ; il excelle à mêler, dans les fantaisies sombres et farouches, les effets de clair-obscur de Goya à la terreur architecturale de Piranèse ; il sait, au milieu d'ombres menaçantes, ébaucher d'un rayon de lune ou d'un éclat de foudre, les tours d'un burg démantelé et sur un rayon livide de soleil couchant, découper en noir la silhouette d'une ville lointaine avec sa série d'aiguilles, de clochers et de beffrois » explique Théophile Gautier. Ces dessins, qui vont de paysages fantastiques à des caricatures, transposent visuellement avec beaucoup de finesse l'atmosphère oppressante des romans.

On trouve en particulier dans *Ecce*, dessin à la plume d'encre brune et noire retravaillé à la gouache et au fusain, représentant dans un clair-obscur tragique un homme pendu à un gibet, un écho direct de la hantise de la peine de mort propre à Hugo. Ce dessin, dont le titre se réfère à la crucifixion du Christ, le plus célèbre des condamnés à mort (*Ecce homo* : « Voici l'homme », dit Pilate, gouverneur romain qui avait demandé la condamnation à mort de Jésus, en désignant le futur crucifié), a été inspiré à Hugo par l'affaire Tapner qui, en 1854, l'avait beaucoup frappé. Il a été imprimé à sa demande au moment de l'exécution par pendaison de John Brown, pour constituer, comme *Le Dernier Jour d'un condamné*, une forme artistique de protestation.

Le Dernier Jour d'un condamné vu par Gérard et Gavarni (1853)

La plus intéressante édition illustrée du roman, celle des *Œuvres complètes* de Victor Hugo publiée à partir de 1880 aux éditions Hetzel, est désormais facile à consulter sur Internet grâce au site Hugo du ministère de l'Éducation nationale (voir bibliographie). Elle est illustrée par deux prestigieux caricaturistes de l'époque, Gérard et Gavarni. Pierre-Jules Hetzel était à la fois l'un des éditeurs les plus célèbres de son temps (il publia Stendhal, Balzac, Jules Verne, etc.) et un ami d'Hugo, comme lui condamné à l'exil pour des raisons politiques, et particulièrement sensible à la cause abolitionniste. Dans leur travail d'illustration du roman, Gérard et Gavarni insistent surtout sur la dimension sociale, la cruauté des juges et des gardiens. Ils parviennent également à incarner corporellement le condamné tout en préservant sa part de mystère, en lui offrant un visage à la fois banal et impénétrable.

Les thèmes hugoliens au cinéma

Il n'existe pas, à l'exception d'une réalisation pédagogique de Michel Andrieu avec Aymeric Demarigny dans le rôle du condamné à mort, de film reprenant exactement l'histoire du *Dernier Jour d'un condamné*. L'explication tient sans doute au mode narratif du roman, un récit à la première personne, difficilement transposable au cinéma, où la caméra ne peut adopter un point de vue subjectif et reste forcément extérieure aux personnages. On peut cependant rapprocher du roman d'Hugo les nombreuses réflexions que le cinéma a consacrées à la question de l'emprisonnement et de la peine de mort.

▌ Dans le cinéma français

On y notera en particulier les magnifiques méditations de Robert Bresson. Il dépeint, dans *Un condamné à mort s'est échappé* (1956), la souffrance d'un condamné à mort pendant la Résistance, et il évoque, dans *Pickpocket* (1959), la quête de repères d'un homme à la dérive dans l'univers carcéral. Il aborde, dans *Le Procès de Jeanne d'Arc* (1962), la question des enjeux métaphysiques de la peine capitale. Sobre et tragique à la fois, le cinéma de Bresson retrouve, par l'intermédiaire de Dostoïevski – dont il s'inspire –, quelque chose de l'univers désespéré d'Hugo, comme de sa quête de vérité intérieure.

En tant que question politique, la peine de mort a par ailleurs fait l'objet de plusieurs films en France, comme *Le Pull-Over rouge*, réalisé par Michel Drach et consacré à la condamnation à mort d'un assassin d'enfant présumé, Christian Renucci. Ce film a participé au débat qui a conduit à l'abolition de la peine capitale le 9 octobre 1981.

Dans le cinéma américain

La dénonciation de la pratique de la peine capitale à travers des films à thèse ou des *thrillers* est également présente dans toute l'histoire du cinéma américain, depuis les années 1950 – *L'Invraisemblable Vérité* (1956) de Fritz Lang ou *Je veux vivre !* (1958) de Robert Wise – au cinéma le plus récent – *Jugé coupable* (1999) de Clint Eastwood –, en passant par *Sacco et Venzetti* (1971) de Giuliano Montaldo, qui évoque l'exécution injuste de deux immigrés d'origine italienne (l'affaire a fait également l'objet d'une très célèbre chanson de Joan Baez sur une musique d'Ennio Morricone).

Des perspectives originales

En marge de ce cinéma abolitionniste, on évoquera deux chefs-d'œuvre originaux. Dans *Tu ne tueras point* (1988), du cinéaste polonais Krzysztof Kieslowski, la caméra suit le protagoniste, qui assassine un conducteur de taxi avant d'être arrêté et exécuté – une démonstration de la totale inutilité d'une peine qui trouve son fondement dans la vengeance sans parvenir à toucher l'essence du mal. À l'opposé de la froideur de Kieslowski, *Dancer in the Dark* (palme d'or au Festival de Cannes en 2000), de Lars von Trier, emprunte la voie du mélodrame pour relater la condamnation et l'exécution d'une femme meurtrière à la manière d'un martyre chrétien (sur une magnifique musique de Björk, également principale interprète du film).

Pickpocket, de Robert Bresson, 1959.

Le Procès de Jeanne d'Arc, Robert Bresson, 1962.

True crime (Jugé coupable), Clint Eastwood, 1999.
Avec Isaiah Washington et Clint Eastwood.

Dancer in the dark, Lars von trier, 2000. Avec Björk.

L'œuvre à l'examen

À l' **écrit** Objet d'étude :
le romantisme.

Corpus bac : quelques personnages livrés au regard et à la plume d'écrivains.

TEXTE 1

Une comédie à propos d'une tragédie (1829), Victor Hugo.

Du début jusqu'à « mais je ne suis pas poète, moi. » (voir pages précédentes).

TEXTE 2

Poèmes saturniens (1866), Verlaine.

« Monsieur Prudhomme ».

Il est grave : il est maire et père de famille.
Son faux col engloutit son oreille. Ses yeux
Dans un rêve sans fin flottent insoucieux,
Et le printemps en fleur sur ses pantoufles brille.

Que lui fait l'astre d'or, que lui fait la charmille
Où l'oiseau chante à l'ombre, et que lui font les cieux,
Et les prés verts et les gazons silencieux ?
Monsieur Prudhomme songe à marier sa fille.

Avec monsieur Machin, un jeune homme cossu,
Il est juste-milieu, botaniste et pansu.
Quant aux faiseurs de vers, ces vauriens, ces maroufles,

Ces fainéants barbus, mal peignés, il les a
Plus en horreur que son éternel coryza,
Et le printemps en fleur brille sur ses pantoufles.

L'œuvre à l'examen

TEXTE 3

Belle du seigneur (1968), Albert Cohen.
Chapitre XXXV.

Force, force, elles n'ont que ce mot à la bouche. Force, qu'est-ce en fin de compte sinon le vieux pouvoir d'assommer le copain préhistorique au coin de la forêt vierge d'il y a cent mille ans ? Force, pouvoir de tuer. Oui, je sais, je l'ai déjà dit, je le répète et le répéterai jusqu'à mon lit de mort ! Lisez les annonces de ces demoiselles de bonne famille, présentant bien, avec espérances directes et prochaines, comme elles disent. Lisez et vous verrez qu'elles veulent un monsieur non seulement aussi long que possible, mais encore énergique, ayant du caractère, et elles font des yeux émerveillés, comme si c'était beau et grand alors qu'en réalité c'est répugnant. Du caractère ! s'écria-t-il avec douleur. Du caractère, elles l'avouent ! Elles avouent, les angéliques effrontées, qu'il leur faut un cher fort et silencieux, avec chewing-gum et menton volontaire, un costaud, un viril, un coq prétentieux ayant toujours raison, un ferme en ses propos, un tenace et implacable sans cœur, un capable de nuire, en fin de compte un capable de meurtre ! Caractère n'étant ici que le substitut de force physique, et l'homme de caractère un produit de remplacement, l'ersatz civilisé du gorille. Le gorille, toujours le gorille !

Elles protestent et s'écrient que je les calomnie puisqu'elles veulent que ce gorille soit en même temps moral ! Ce gorille viandu et costaud et ayant du caractère, c'est-à-dire tueur virtuel, elles exigent en effet qu'il dise des paroles nobles, qu'il leur parle de Dieu, et qu'ils lisent la Bible ensemble, le soir, avant de se coucher. Alibi et comble de la perversité ! Ainsi ces rusées peuvent en toute paix chérir la large poitrine et les poings frappeurs et les yeux froids et la pipe ! Pieds de porc recouverts de crème fouettée et gigots ornés de fleurs et dentelles de papier comme aux devantures des boucheries. Fausse monnaie toujours, et partout !

L'œuvre à l'examen

TEXTE 4

> *Le Misanthrope*, Molière (1666).
> Acte II, scène 4.

ACASTE

Parbleu ! s'il faut parler des gens extravagants,
Je viens d'en essuyer un des plus fatigants :
Damon, le raisonneur, qui m'a, ne vous déplaise,
Une heure, au grand soleil, tenu hors de ma chaise.

CÉLIMÈNE

C'est un parleur étrange, et qui trouve toujours
L'art de ne vous rien dire avec de grands discours ;
Dans les propos qu'il tient, on ne voit jamais goutte,
Et ce n'est que du bruit que tout ce qu'on écoute.

ÉLIANTE, *à Philinte.*

Ce début n'est pas mal ; et contre le prochain
La conversation prend un assez bon train.

CLITANDRE

Timante encor, Madame, est un bon caractère.

CÉLIMÈNE

C'est de la tête aux pieds un homme tout mystère,
Qui vous jette en passant un coup d'œil égaré,
Et, sans aucune affaire, est toujours affairé.
Tout ce qu'il vous débite en grimaces abonde ;
À force de façons, il assomme le monde ;
Sans cesse il a, tout bas, pour rompre l'entretien,
Un secret à vous dire, et ce secret n'est rien ;
De la moindre vétille il fait une merveille,
Et jusques au bonjour, il dit tout à l'oreille.

ACASTE

Et Géralde, Madame ?

CÉLIMÈNE

                Ô l'ennuyeux conteur !

L'œuvre à l'examen

Jamais on ne le voit sortir du grand seigneur ;
Dans le brillant commerce il se mêle sans cesse,
Et ne cite jamais que duc, prince ou princesse :
La qualité l'entête ; et tous ses entretiens
Ne sont que de chevaux, d'équipage et de chiens ;
Il tutaye en parlant ceux du plus haut étage,
Et le nom de Monsieur est chez lui hors d'usage.

CLITANDRE

On dit qu'avec Bélise il est du dernier bien.

CÉLIMÈNE

Le pauvre esprit de femme, et le sec entretien !
Lorsqu'elle vient me voir, je souffre le martyre :
Il faut suer sans cesse à chercher que lui dire,
Et la stérilité de son expression
Fait mourir à tous coups la conversation.
En vain, pour attaquer son stupide silence,
De tous les lieux communs vous prenez l'assistance :
Le beau temps et la pluie, et le froid et le chaud
Sont des fonds qu'avec elle on épuise bientôt.
Cependant sa visite, assez insupportable,
Traîne en une longueur encore épouvantable ;
Et l'on demande l'heure, et l'on bâille vingt fois,
Qu'elle s'émeut autant qu'une pièce de bois.

ACASTE

Que vous semble d'Adraste ?

CÉLIMÈNE

               Ah ! quel orgueil extrême !
C'est un homme gonflé de l'amour de soi-même.
Son mérite jamais n'est content de la cour :
Contre elle il fait métier de pester chaque jour,
Et l'on ne donne emploi, charge ni bénéfice,
Qu'à tout ce qu'il se croit on ne fasse injustice.

L'œuvre à l'examen

a. Questions préliminaires (sur 4 points)

En quoi la poésie du « Poète élégiaque » contribue-t-elle à le rendre ridicule ?

En quoi la satire des poèmes du « Poète élégiaque » constitue-t-elle une défense du romantisme ?

Pourquoi le goût du « Chevalier » nous semble-t-il caricatural ?

b. Travaux d'écriture au choix (sur 16 points)

Sujet 1. Commentaire.

Vous ferez le commentaire du passage d'*Une comédie à propos d'une tragédie*.

Sujet 2. Dissertation.

Vous commenterez cette remarque de Victor Hugo dans la Préface de *Cromwell* : « À force de méditer sur l'existence, d'en faire éclater la poignante ironie, de jeter à flots le sarcasme et la raillerie sur nos infirmités, ces hommes qui nous font tant rire deviennent profondément tristes. »

Sujet 3. Écriture d'invention.

Vous ferez un portrait satirique du bourreau du *Dernier Jour d'un condamné*.

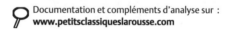

Documentation et compléments d'analyse sur :
www.petitsclassiqueslarousse.com

L'œuvre à l'examen

Objet d'étude : l'argumentation : convaincre, persuader, délibérer (première, toutes sections).

À l' **oral**

Préface de 1832.

Sujet : *quels sont les moyens argumentatifs utilisés par Hugo pour convaincre son lecteur ?*

RAPPEL

Une lecture analytique peut suivre les étapes suivantes :

I. mise en situation du passage, puis lecture à haute voix

II. projet de lecture

III. composition du passage

IV. analyse du passage

V. conclusion – remarques à regrouper un jour d'oral en fonction de la question posée.

I. Situation du passage

La préface que Victor Hugo ajoute en 1832 à son roman s'organise selon deux axes : d'une part, une défense du projet littéraire de l'œuvre, notamment contre ceux qui avaient accusé l'auteur de plagiat, et, d'autre part, un plaidoyer en faveur de l'abolition de la peine de mort. Pour convaincre son lecteur de le soutenir dans son combat, Hugo alterne les exemples concrets, destinés à frapper l'imagination, et les raisons historiques, sociologiques ou philosophiques. Comme on l'a souvent fait remarquer, cette préface est en réalité une postface : elle vise moins à présenter une œuvre qu'à en renforcer la portée, en en théorisant les arguments. C'est donc un texte indépendant, qui ne cherche presque pas à attirer la bienveillance du lecteur et à lui présenter pédagogiquement l'ouvrage, mais entre très vite dans le vif du sujet, comme s'il s'agissait de transposer dans un débat public l'exemple donné par la lecture du roman.

II. Projet de lecture

Discours politique et émotion subjective

L'attitude de l'orateur est loin d'être neutre : Hugo s'engage fortement en tant que personne dans le combat et mêle appréciations subjectives et discours politique. Il fait appel à ses souvenirs personnels en usant de la première personne du singulier pour prendre la défense du condamné tout en s'identifiant à « la cause du peuple » en général. De même, le lecteur est interpellé à la fois en tant que sensibilité subjective et en tant que citoyen. L'espace de la discussion publique et celui de la souffrance intérieure se confondent. Comme le suggère Georges Poulet, « l'être hugolien s'apparaît tout à coup à lui-même, non dans l'asile de sa conscience, non dans une pensée solitaire qui l'assure de sa seule existence, mais dans un enveloppement et une pénétration si totale par les choses qu'il ne peut s'en détacher ni s'en abstraire. Il est, mais il est dans les choses. Il est à travers les choses et les choses sont à travers lui [...]. Personne n'a vécu plus intensément que Hugo cette expérience première où se découvre la solidarité du moi et du monde. »

Convaincre et persuader

Victor Hugo cherche à la fois à replacer dans son contexte historique le débat, à persuader de l'horreur concrète de la peine de mort par des tableaux d'exécutions et à contrer les justifications habituelles données à ce châtiment. D'où un véritable morceau de bravoure rhétorique où l'auteur appuie une argumentation précise et informée par ses exceptionnels talents de peintre et de poète : il s'agit autant de convaincre (par la raison) que de persuader (par le cœur et l'imagination). À ce titre, Hugo alterne les arguments philosophiques ou éthiques que sont les preuves de tous ordres que l'on peut invoquer contre l'utilité de la peine de mort (témoignages, enquêtes, etc.), et des récits qui mettent devant les yeux du lecteur l'horreur concrète et humaine des exécutions, en utilisant le registre pathétique (ce que l'on nomme traditionnellement en rhétorique des « preuves morales et subjectives », qu'il appelle des « raisons sentimentales »).

Les genres oratoires

On distingue depuis l'Antiquité trois genres oratoires (rhéto-riques) : le genre judiciaire, qui vise à décider entre le juste et l'injuste, à accuser ou à défendre, et qui s'illustre en particulier dans les plaidoiries, le genre délibératif, qui a pour but de déci-der entre l'opportun, l'utile, et l'inutile, l'inopportun, et, enfin, le genre épidictique, qui doit permettre de convaincre du bien et du mal d'une action ou d'une personne. Dans sa préface, Hugo mêle ces trois genres : il blâme les défenseurs de la peine de mort (épidictique), il affirme le caractère injuste de cette peine dans le cas des sergents de La Rochelle et, plus générale-ment, des condamnations politiques (judiciaire), et, surtout, il cherche à convaincre de la nécessité d'abolir une peine à la fois inutile et dangereuse (délibératif).

III. Composition du passage

L'organisation du discours hugolien est gouvernée par une structure inspirée par la tradition rhétorique. Après être revenu sur la genèse de son ouvrage, Hugo effectue un rappel histo-rique sur la révolution de juillet 1830, destiné à rafraîchir la mémoire du lecteur. Habilement, il cherche ensuite à le frapper par l'exposé d'exemples contemporains terribles d'exécutions ratées. Puis il réfute les thèses avancées par ses adversaires, et contre en particulier l'argument de l'exemplarité. À ces argu-ments philosophiques, il ajoute des raisons historiques et sociologiques concrètes, avant de conclure dans une péroraison (conclusion d'un discours rhétorique) où il associe l'abolition de la peine de mort et le progrès de la société en général.

1. Défense et illustration d'un projet littéraire (du début jusqu'à « Nous venons de dire que l'échafaud »)

2. Le contexte de la révolution de juillet 1830 (« Nous venons de dire que l'échafaud » jusqu'à « Du reste, disons-le »)

3. Exemples frappants d'exécutions capitales (« Du reste, disons-le » jusqu'à « Qu'avez-vous à alléguer pour la peine de mort ? »)

4. Réfutation des arguments en faveur de la peine de mort (« Qu'avez-vous à alléguer pour la peine de mort ? » jusqu'à « On est parfois tenté de croire »)

5. Peine de mort et misère sociale (« On est parfois tenté de croire » jusqu'à « Au reste, qu'on ne s'y trompe pas »)

6. Conclusion : l'espoir du progrès social (« Au reste, qu'on ne s'y trompe pas» à la fin)

IV. Analyse précise du passage

1. Défense et illustration d'un projet littéraire

Victor Hugo débute par une justification de son ouvrage contre ses détracteurs : il leur explique les raisons qui l'ont conduit à publier celui-ci anonymement et s'excuse de ses particularités au nom des fins visées. Habilement, Hugo « avoue » son procédé en transformant ce qui pourrait passer pour un manque de courage en une forme universelle de combat politique (« c'est la plaidoirie générale et permanente pour tous les accusés présents et à venir »). Il entame ensuite une gradation (accumulation de termes de plus en plus forts) qui le conduit, par une magistrale anadiplose (figure de répétition, dans laquelle un auteur reprend, au début d'un membre de phrase, un terme qui se trouvait à la fin du membre de phrase précédent ou de la phrase précédente), à dégager ce qui sera le thème principal de son plaidoyer : faire voir la peine de mort

« non au tribunal, mais à l'échafaud, non chez le juge, mais chez le bourreau ». Victor Hugo développe alors la relation entre son projet moral et la forme littéraire particulière de son roman : il s'agit là de défendre l'originalité de son projet contre les accusations de plagiat. Dans ce but, il recourt à nouveau à des procédés d'accumulation et à des tournures exclamatives, véhémentes et même colériques.

Victor Hugo insère un témoignage personnel destiné à justifier son engagement, en s'attachant à montrer la tournure obsessionnelle que celui-ci a pris (on notera en particulier les imparfaits à valeur de répétition : « chaque fois [...] il arrivait »). Le narrateur se décrit à la troisième personne et met en scène sa prise de conscience de l'horreur de la peine de mort avec une très grande précision (les détails sonores des « hurlements enroués » de la foule ou du bruit de l'horloge), en rattachant son projet littéraire à un moment précis, celui de l'exécution d'Ulbach (l'erreur que commet Hugo, qui a commencé son ouvrage un an et non un jour après l'exécution comme il le prétend, s'explique par sa volonté de rattacher son projet à un exemple précis pour lui donner plus de force).

Dans une dernière étape, il reprend son argumentation par des formules métaphoriques destinées à se graver dans la mémoire du lecteur : le projet intellectuel s'identifie au corps même du condamné, gisant « dans une mare de sang sous les rouges moignons de la guillotine ».

2. Le contexte de la révolution de juillet 1830

Une fois la nécessité de combattre la peine de mort transformée en un impératif moral (l'écrivain détourne d'ailleurs une formule biblique : « se laver les mains est bien, empêcher le sang de couler serait mieux »), le thème central du discours est exposé. Le développement hugolien commence par rappeler le contexte du problème et la tentative d'abolition ratée de cette peine en 1830. Avec beaucoup de verve oratoire pour décrire ce qu'il nomme une « farce » politique, et quelque peu d'ironie lorsqu'il s'agit d'évoquer les motifs sociaux à la source du débat de 1830, Hugo raconte les circonstances de cette vraie-fausse abolition (« De quoi s'agissait-il donc ? d'abolir la peine de mort ? Oui et non »). Il a comme souci d'inscrire son projet non dans une utopie, mais dans un monde possible, et de s'adresser directement aux responsables politiques (« nous, députés qui pouvons être ministres »). Comme tout bon orateur, Hugo oppose les maux de la peine de mort aux biens à attendre de son abolition, sous la forme d'un imparfait à valeur irréelle du passé (« vous faisiez plus qu'une œuvre politique, vous faisiez une œuvre sociale »). L'argument décisif est en effet d'ordre social : l'abolition est « la cause du peuple » car les criminels sont des « misérables », des victimes de la misère.

3. Exemples frappants d'exécutions capitales

Après avoir évoqué la personnalité du bourreau et justifié le recours à des exemples frappants, Hugo détaille minutieusement les étapes d'une exécution ratée, avant de conclure sur un renversement : c'est la justice qu'il faudrait juger. Dans sa description des exécutions, il cherche à créer un fort contraste entre la vie quotidienne et ordinaire de la société et la violence de l'échafaud. Pour cela, il souligne l'opposition entre la routine bien réglée de la mise à mort et un dysfonctionnement qui en dévoile l'horreur, par des effets de mise en scène et l'accent mis sur la dimension visuelle du spectacle. Le récit de l'exécution est ainsi organisé comme l'intrigue d'une pièce de théâtre : la répétition des tentatives de mise à mort, un suspense qui laisse attendre une fin heureuse, puis une rechute dans l'abomination. On notera aussi l'attention que porte l'auteur à l'authenticité du témoignage et à l'effet que cherche à produire son récit (usage d'un style coupé formé de phrases brèves qui sonnent comme autant de coups de fouet), attention indispensable au retournement rhétorique qui conclut le passage. On insistera sur l'importance d'une telle description dans un roman dont la fin manque, puisque le condamné ne saurait raconter sa propre mise à mort, et sur l'habileté d'Hugo à donner à une anecdote la structure d'une tragédie.

4. Réfutation des arguments en faveur de la peine de mort

C'est la partie clé du plaidoyer : Victor Hugo va s'en prendre à ses adversaires en les interpellant vivement. Au « vous » des défenseurs de la peine de mort, il opposera un « nous » modeste dans une confrontation théâtralisée entre deux points de vue contraires. Hugo emploie abondamment les questions rhétoriques, c'est-à-dire les questions qui n'appellent pas de réponse mais servent d'articulation dans le discours, les interpellations et les exclamations pour animer le débat. L'usage du registre ironique et des chutes contraste avec la gravité du propos, que l'auteur rappelle par des formules de vérité générale (par exemple : « pas de bourreau où le geôlier suffit », « se venger est de l'individu, punir est de Dieu », etc.) qui tentent de produire une sorte de contre-morale en renversant les discours traditionnels de ses adversaires. Malgré l'animation de la scène et la virulence du débat, on note la précision de l'argumentation hugolienne, structurée en trois parties, selon les trois arguments qu'il va successivement réfuter. Tout d'abord, face à la nécessité d'une élimination physique du criminel et la menace posée par sa possible évasion, Hugo propose une prison perpétuelle. Puis, face à la « loi du talion », c'est-à-dire la nécessité de se venger par une punition au moins égale au dommage subi, il défend l'idée que cette loi vaut pour les individus, mais que les sociétés doivent, elles, viser à « corriger pour améliorer » les coupables ; à cet argument s'ajoute une raison religieuse : l'homme ne saurait avoir le pouvoir de vie et de mort, qui n'appartient qu'à Dieu. Enfin et surtout, face au pouvoir de la peine de mort à produire des exemples dissuasifs pour les criminels potentiels, l'auteur du *Dernier Jour d'un condamné* avance, à la suite de Beccaria, l'inutilité et le caractère démoralisant des supplices publics.

L'œuvre à l'examen

5. Peine de mort et misère sociale

La rédaction du *Dernier Jour d'un condamné* a coïncidé avec la découverte pour Hugo de la question de la misère sociale. L'orateur relève ainsi une double injustice de la peine de mort : celle qui fait condamner un homme qui est souvent une victime avant de devenir criminel, celle qui conduit à la ruine de sa famille et ajoute de la souffrance à la souffrance. Il fait ici un portrait presque attendrissant des « petits garçons, [des] petites filles, auxquelles » la peine de mort « ôte leur père », convertissant l'apparente justesse de la punition en un crime par un renversement rhétorique : « Nous avons déjà convaincu votre loi d'assassinat. » Profondément déiste, c'est-à-dire croyant mais sans religion définie, Victor Hugo insiste également sur la misère spirituelle qui accompagne la peine de mort dans un moment historique où l'homme ne parvient plus à croire à l'immortalité de l'âme. Reprenant des constats que l'on retrouve dans le roman qui suit la préface, mais qui a été rédigé antérieurement, l'écrivain aborde ici la faiblesse des prêtres usés par leur mission, en ayant à l'esprit de ruiner définitivement l'argumentation des traditionalistes qui, comme Joseph de Maistre, faisaient de l'échafaud une simple « frontière du ciel ».

6. L'espoir du progrès social

Comme il convient à une conclusion, Hugo évoque enfin le futur : il envisage les étapes concrètes de l'abolition, comme pour proposer un programme immédiatement applicable à ses lecteurs, et fait mine de se résoudre à une abolition partielle de la peine de mort dont les crimes politiques et les crimes passionnels seraient exclus. Son discours adopte ensuite un ton visionnaire et des accents prophétiques : Hugo écarte du futur « l'horrible Thémis », personnalise la place de Grève et tente de proposer un compromis entre la société nouvelle, son désir de justice et son refus de la cruauté du bourreau, et les valeurs traditionnelles que sont Dieu et la patrie. Conformément aux idéaux de la Révolution, il tente ainsi d'enlever ce que la peine de mort avait de naturel aux yeux de ses lecteurs, de dissocier les trois colonnes que sont « le prêtre, le roi, le bourreau » et, au contraire, de présenter comme naturel et inéluctable le progrès de la civilisation vers l'abolition de la peine capitale.

V. Conclusion

Tous les arguments exposés dans cette préface de 1832 se retrouvent illustrés dans le roman par un exemple, celui du narrateur du pseudo-journal du condamné. Mais, si le roman est marqué par l'intériorisation des souffrances et une relative sobriété de style, tout au contraire, la préface de 1832 est d'une richesse de formulations, de tonalités, de registres et d'images extraordinaire. On notera d'abord la diversité des moyens utilisés par Hugo : tous les outils de la rhétorique classique sont présents, depuis la structuration habile du discours et sa progression savamment organisée jusqu'à la production de formules chocs destinées à marquer les esprits, en passant par l'usage réitéré des figures d'hyperbole, d'opposition et de répétition. Cette éloquence, classique dans sa nature mais spectaculaire dans sa réalisation, a pour caractère original son recours fréquent au théâtre (pour mettre en scène les débats d'idées et moquer l'adversaire) et au récit (pour témoigner de réalités vécues).

« La raison est pour nous, le sentiment est pour nous, l'expérience est aussi pour nous », écrit Hugo pour justifier la richesse de son argumentation, ses multiples aspects et le mélange des niveaux de style qui caractérisent un discours où se mêlent l'ironie et la solennité, la pédagogie et la colère, la réflexion et le récit pathétique, la connaissance historique et le souffle romantique. On doit ainsi souligner la force exceptionnelle de cette préface, qui tient à la manière dont le débat des idées politiques, le travail d'enquête journalistique et la réflexion philosophique se trouvent transcendés par l'engagement de l'orateur, à la fois porté par ses angoisses personnelles devant l'échafaud et sa vocation humaniste et sociale, à un degré d'intensité et d'éloquence rarement atteint dans l'histoire de la vie intellectuelle française.

AUTRES SUJETS TYPES

• **Chapitre X** : la prison, réalité concrète et fascination littéraire.

• **Chapitre XXIII** : le récit du « friauche » : dénonciation sociale et comique verbal.

• **Chapitre XLI** : la mort, entre psychologie et métaphysique.

• **Chapitre XLII** : le cauchemar : de l'analyse de l'inconscient au fantastique.

• **Chapitre XL!II** : la dernière visite de la fille du condamné : le thème de l'enfance, le registre pathétique.

• **Chapitre XLVIII** : l'ultime trajet du condamné : l'écriture de la solitude et de l'effroi.

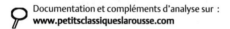

Documentation et compléments d'analyse sur :
www.petitsclassiqueslarousse.com

Outils de lecture

Apocryphe
Texte dont l'origine est douteuse.

Argot
Langage particulier à un groupe
ou à une société (par exemple :
l'argot des bagnards).

Argumentatif (discours)
Discours visant à convaincre
ou à persuader un auditeur
ou un lecteur par des arguments
logiquement organisés.

Autobiographie
Récit qu'un auteur fait
de sa propre vie à la première
personne.

Caricature
Portrait excessif tournant en
dérision un personnage
ou une idée.

Comédie
Genre littéraire propre au théâtre
dans lequel les mœurs, les idées
ou les caractères
des personnages sont présentés
de manière divertissante.

Comique (registre)
Registre par lequel un auteur vise
à provoquer l'amusement
ou le rire de son lecteur.

Descriptif (discours)
Discours ayant pour but
de représenter une scène,
un décor, un objet
ou un personnage.

Didascalies
Indications de mise en scène
fournies par un auteur de théâtre.
Par exemple, « *modestement* »,
dans *Une comédie à propos
d'une tragédie*.

Drame
Genre littéraire propre au théâtre
et en particulier au théâtre
romantique d'Hugo, caractérisé
par une représentation réaliste
d'une situation historique
et le mélange des registres
comique et tragique.

Ellipse
Procédé narratif consistant
à omettre une étape essentielle
d'un récit (par exemple
le chapitre XLVIII du *Dernier Jour
d'un condamné*).

Exemplaire (récit)
Dans le discours argumentatif,
récit servant à illustrer
concrètement un argument.

Hyperbole
Figure de rhétorique consistant
à employer des expressions
exagérées pour frapper
l'imagination.

Intimisme
Expression de la confidence
et des sentiments privés.

Ironie
Figure de style consistant à dire
le contraire de ce que l'on veut
faire comprendre au spectateur
ou au lecteur.

Lyrique (registre)
Registre propre à l'expression,
souvent poétique,
des sentiments intérieurs
et des émotions personnelles
de celui qui s'exprime.

Outils de lecture

Monologue intérieur

Texte où un personnage exprime sa pensée la plus intime, la plus proche de l'inconscient.

Narrateur

Celui qui raconte une histoire et qui peut être, selon les cas, l'auteur lui-même, un personnage particulier ou une voix indéfinie.

Narratif (discours)

Discours qui organise de manière chronologique une série d'événements en une narration.

Narration

Action de raconter une histoire et, par extension, contenu de celle-ci.

Onirique (registre)

Registre correspondant à l'expression des rêves.

Oxymore

Association dans une même formule de deux termes opposés, apparemment incompatibles pour le sens.

Paratexte

Ensemble des écrits qui précèdent ou suivent un texte (préface, fac-similé, etc.).

Pathétique (registre)

Registre qui exprime la souffrance d'un héros de manière à bouleverser celui qui en est témoin.

Péroraison

Conclusion d'un discours argumentatif.

Personnification

Figure de style par laquelle une réalité non humaine est représentée sous une forme humaine.

Plaidoyer

Discours en faveur d'une cause ou d'une personne particulière.

Polémique (registre)

Registre qui vise à défendre des valeurs jugées menacées et à critiquer des valeurs opposées, en se souciant constamment de l'implication du destinataire (cible à condamner ou auditoire à convaincre), notamment par l'apostrophe et l'ironie provocante.

Préface

Écrit produit par un critique ou par l'auteur lui-même, qui vise à présenter et à expliquer l'œuvre qui suit.

Portrait

Texte offrant la description physique ou psychologique d'un personnage.

Réaliste

Texte qui refuse toute expression métaphorique ou abstraite du réel, mais cherche au contraire à le peindre dans tous ses détails.

Satirique (registre)

Registre de la moquerie, de l'ironie ou de la caricature.

Tragique (registre)

Registre qui présente la confrontation désespérée d'un être humain avec des forces qui le dépassent.

Bibliographie
Sites Internet
Filmographie

Biographies d'Hugo

• *Victor Hugo*, Alain Decaux, Perrin, 1985.

• *Victor Hugo*, Jean-Marc Hovasse, Fayard, 2001-2002 (deux tomes).

Essais généraux sur l'œuvre d'Hugo

• *Victor Hugo et le roman visionnaire*, Victor Brombert, P.U.F., 1985.

• *Hugo dans les marges*, Lucien Dallenbach et Laurent Jenny, Zoë (Genève), 1985.

• *Pour la poétique IV*, tome 2, « Écrire Hugo », Henri Meschonnic, Gallimard, 1977.

• *Victor Hugo et le roman philosophique*, Myriam Roman, Champion, 1999.

Commentaires et études du *Dernier Jour d'un condamné*

• Victor Hugo, *Le Dernier Jour d'un condamné*, essai et dossier de Myriam Roman, Gallimard, collection « Foliothèque », 2000.

• Victor Hugo, *Le Dernier Jour d'un condamné*, notes et commentaires de Guy Rosa, préface de Robert Badinter, Le Livre de poche classique, 1989.

• Victor Hugo, *Œuvres complètes*, Club français du livre, 1967-1969, tome III (comprend notamment une présentation du *Dernier Jour d'un condamné* par Jean Massin).

La question de la peine de mort

• *La Prison romantique,* Victor Brombert, José Corti, 1975.

• *Surveiller et punir,* Michel Foucault, Gallimard, collection « Tel », 1993.

Bibliographie • filmographie

• *La Peine de mort,* Jean Imbert, P.U.F., collection « Que sais-je ? »,
1989.

• « Hugo et Camus face à la peine de mort », Marie Naudin,
Revue d'histoire littéraire de la France, mars-avril 1972, p. 264-273.

Sites Internet

http://www.victorhugo.culture.fr/
Portail officiel du ministère de la Culture créé à l'occasion
du bicentenaire de l'écrivain.

http://www.chronologievictor-hugo.com/
Chronologie de Victor Hugo à travers ses écrits.

http://groupugo.div.jussieu.fr/
Site du centre interuniversitaire de recherches sur Victor Hugo
(université Paris VII), qui comporte notamment une riche
bibliographie.

http://victorhugo.bnf.fr/
Site Hugo de la Bibliothèque nationale de France. Permet
d'accéder notamment à l'œuvre intégrale en ligne de Victor
Hugo et à des documents pédagogiques.

http://www.victorhugo.education.fr/
Site Hugo du ministère de l'Éducation nationale. Nombreux
dossiers pédagogiques. On trouvera notamment des
reproductions des illustrations de l'édition Hetzel.

http://fr.wikipedia.org/wiki/Victor_Hugo
Hugo sur l'encyclopédie Wikipédia.

Films

• *Le Dernier Jour d'un condamné*, film de Michel Andrieu, avec
Aymeric Demarigny dans le rôle du condamné à mort, Centre
régional de documentation pédagogique de Franche-Comté,
collection « Lectures à voir », 2002.